De l'histoire en littérature, pour quoi faire ?

Les apprentissages fondamentaux : **parler**, **lire**, **écrire** ne sauraient se résumer à des savoir-faire décontextualisés et vides de sens. Ouvrir aux enfants la porte de l'histoire à travers la littérature, c'est les introduire dans des époques différentes afin de mieux connaître les grandes périodes historiques, les formes de pouvoirs qui s'y sont développées, les relations entre les divers groupes sociaux, les productions culturelles, artistiques et scientifiques. À travers ces lectures, les élèves se constitueront une première **culture historique** donnant accès à d'autres dimensions que les seuls événements politiques.

Quelles œuvres choisir ?

Le bibliobus Hachette **historique** propose aux jeunes lecteurs des œuvres de fiction fondées sur de réels éléments historiques qui complètent la lecture des documents de l'époque. Elles visent à nourrir la réflexion collective des élèves, à faire naître des interrogations, à susciter des débats.
Une attention particulière est portée dans les textes au vocabulaire historique spécifique pour pouvoir le comprendre et le réutiliser de manière appropriée.

Devenir lecteur

On le sait depuis longtemps : il ne suffit pas d'avoir appris à lire pour devenir lecteur. **Le goût** et **le plaisir de lire** ne peuvent se développer qu'à partir de rencontres fréquentes avec les textes. Il convient donc avant tout de lire beaucoup.

Les adultes accompagneront les enfants sur le chemin de la lecture en lisant eux-mêmes des textes à haute voix qui permettent de « raconter » l'histoire. Ils donneront ainsi aux enfants l'occasion de partager des émotions, de développer une première forme d'esprit critique tout en les guidant dans leur compréhension. Pour éviter la mise en mémoire d'informations fragmentées, ils les aideront peu à peu à tisser des réseaux de significations entre différentes œuvres et différentes époques.

La littérature et l'histoire à l'école

L'école s'est fixé pour objectif de donner à chaque enfant les références culturelles nécessaires pour que le monde des hommes commence à prendre sens pour lui.

Dans le domaine de l'**histoire** : « Le maître aide l'élève à construire une intelligence du temps historique fait de simultanéité et de continuité, d'irréversibilité et de rupture, de courte et de longue durée. Le respect du déroulement chronologique, jalonné par des dates significatives, y est donc essentiel et constitue l'une des bases de l'approche historique. »[1]

Dans le domaine de la **littérature** : « Il faut que les enfants lisent et lisent encore de manière à s'imprégner de la riche culture qui s'est constituée et continue de se développer dans la littérature de jeunesse, qu'il s'agisse de ses "classiques" sans cesse réédités ou de la production vivante de notre temps. »[2]

Il appartient aux éducateurs : enseignants, parents, médiateurs du livre, de relayer cette ambition.

Pascal Dupont

1 et 2 *Qu'apprend-on à l'école élémentaire ?*, « Les nouveaux programmes », CNDP / XO éditions, 2002.

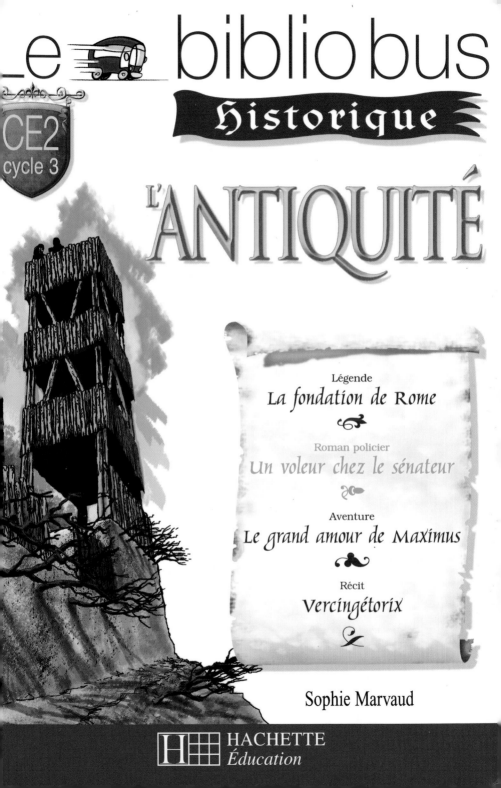

Le biblio bus

Historique

CE2
cycle 3

L'ANTIQUITÉ

Légende
La fondation de Rome

Roman policier
Un voleur chez le sénateur

Aventure
Le grand amour de Maximus

Récit
Vercingétorix

Sophie Marvaud

HACHETTE
Éducation

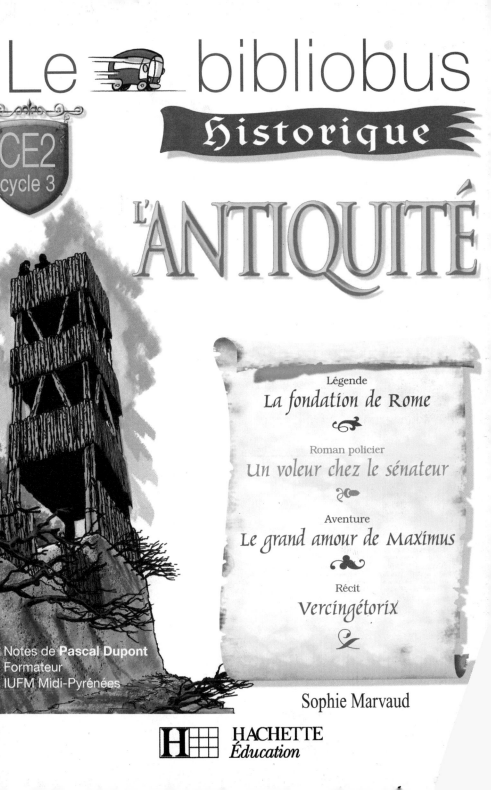

Le bibliobus

historique

CE2
cycle 3

L'ANTIQUITÉ

Légende
La fondation de Rome

Roman policier
Un voleur chez le sénateur

Aventure
Le grand amour de Maximus

Récit
Vercingétorix

Notes de **Pascal Dupont**
Formateur
IUFM Midi-Pyrénées

Sophie Marvaud

HACHETTE
Éducation

Conception graphique (couverture et intérieur) : Laurent Carré
Illustration de couverture : Alain Boyer
Illustrations intérieures : Denis Brumaud (*La fondation de Rome*,
pp. 5 à 40), Jean-Pascal Jauzenque (*Un voleur chez le sénateur*,
pp. 41 à 75), Sylvie Serprix (*Le grand amour de Maximus*,
pp. 77 à 115), Isabelle Calin (*Vercingétorix*, pp. 117 à 157)
Frises historiques : Jean-Louis Goussé (pp. 6, 42, 78, 120)
Édition : Janine Cottereau-Durand
Réalisation (couverture et intérieur) : Créapass, Paris
Relecture : Chantal Maury
Photogravure : Nord Compo
Fabrication : Isabelle Simon-Bourg

ISBN : 978-2-01-117343-0
© Hachette Livre 2007
quai de Grenelle 75905 Paris cedex 15

achette-education.com

Sophie Marvaud

La fondation de Rome

Illustré par Denis Brumaud

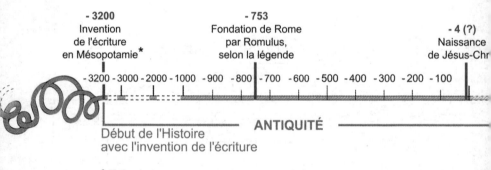

- 3200
Invention
de l'écriture
en Mésopotamie*

- 753
Fondation de Rome
par Romulus,
selon la légende

- 4 (?)
Naissance
de Jésus-Chr

- 3200 - 3000 - 2000 - 1000   - 900   - 800 - 700   - 600   - 500   - 400   - 300   - 200   - 100

Début de l'Histoire
avec l'invention de l'écriture

ANTIQUITÉ

* l'Irak actuel

Les bébés abandonnés

Il était une fois, il y a très longtemps, dans ce qui est aujourd'hui l'Italie, deux bébés abandonnés en pleine campagne. Leur peau rouge et plissée montrait qu'ils venaient juste de naître ! Leurs petits visages se ressemblaient comme deux gouttes d'eau : ils étaient jumeaux. Deux garçons.

On les avait mis tête-bêche dans une simple corbeille d'osier, déposée au bord d'un chemin, à l'ombre d'un arbuste. Peut-être espérait-on qu'un passant prendrait pitié d'eux et les adopterait.

tête-bêche : côte à côte, mais en sens inverse

Hélas ! Tout près de là, le fleuve Tibre était en crue. Le niveau de l'eau montait à vue d'œil. Bientôt, le lit du fleuve fut trop étroit et les rives furent inondées.

le Tibre : fleuve italien qui traverse Rome

le lit : l'endroit creux dans lequel coule un cours d'eau

7

L'eau clapotait autour de la corbeille. Bercés, les bébés dormaient paisiblement. Mais une vague un peu plus haute détacha la corbeille du chemin et l'emporta.

Éblouis par le soleil, les bébés commencèrent à s'agiter. Le navire miniature vogua d'abord doucement. Puis de plus en plus vite !

voguer : naviguer

Il rejoignit le milieu du fleuve, là où le courant est le plus puissant. L'eau grondait et bousculait la corbeille. Plusieurs fois, une vague manqua de la retourner. Les bébés allaient-ils être noyés ?

gronder : produire un bruit sourd

Les nouveau-nés se mirent à pousser des cris perçants. Ils étaient beaucoup trop petits pour avoir conscience du danger, mais les bruits inconnus, le soleil brûlant et les secousses brutales les effrayaient.

Par chance, un coude du fleuve dévia brutalement le courant. La corbeille fut projetée dans les eaux plus calmes des prairies inondées. Un figuier sauvage qui poussait par là vit la corbeille venir s'échouer sur ses racines.

un coude : un tournant

À l'ombre du figuier, rassurés par l'immobilité de leur petit lit d'osier, les bébés auraient pu se rendormir. Mais une fois éveillés, ils prirent conscience qu'ils avaient faim. Très faim !

Ils se mirent à pleurer de plus belle. Et comme ils étaient deux, leurs cris étaient très efficaces ! Toutes les bêtes, sauvages ou domestiques, qui étaient venues se désaltérer dans le fleuve détalèrent !

se désaltérer : boire, étancher sa soif

détaler : s'enfuir rapidement

Toutes, sauf une louve. L'animal aux dents acérées s'approcha de la corbeille, renifla le corps dodu des nouveau-nés… et se coucha contre eux, leur offrant ses mamelles. Elle venait d'avoir des petits et elle avait reconnu les cris de la faim. Attirés par l'odeur du lait, les bébés se mirent à téter goulûment.

acéré : pointu

goulûment : gloutonnement, avec avidité

9

Quelle chance extraordinaire ! Ils venaient d'échapper plusieurs fois à la mort. Le fleuve, le soleil, la faim, la louve auraient pu les tuer. Étaient-ils protégés des dieux ? Et si c'était le cas, pourquoi ? Qui étaient-ils donc, ces jumeaux abandonnés ?

Chez Faustulus et Larentia

Quelques semaines plus tard, le Tibre avait réintégré son lit. Le berger Faustulus, un homme d'âge mûr, conduisait ses moutons dans un pré libéré par le fleuve. Soudain, il remarqua un spectacle étrange.

– Est-ce que je rêve ? Ai-je trop bu, hier soir, avec mes amis ?

Il s'approcha prudemment. À quelques pas de lui, sous un figuier en fleur, deux bébés humains tétaient une louve, qui les léchait avec tendresse. Quel était ce prodige ?

Faustulus se pencha vers les jumeaux. Ils semblaient en excellente santé. Comme sa femme Larentia serait heureuse de s'en occuper ! Elle qui était tellement triste de ne pouvoir enfanter…

d'âge mûr :
d'un certain âge

un prodige :
une chose extraordinaire

enfanter :
avoir un enfant

Sans réfléchir, Faustulus attrapa les bébés et les serra contre lui. La louve allait-elle se jeter sur lui pour défendre ceux qu'elle considérait comme ses petits ? Non, elle se leva et s'éloigna. Comme si elle avait fini d'accomplir une mission mystérieuse…

Dès que Larentia aperçut les jumeaux, elle leur ouvrit tout grand ses bras. Elle accepta avec joie de les adopter.

vigoureux :
en pleine santé

– Comme ils sont mignons ! Et vigoureux ! Il faut leur trouver un nom !

– Rémus et Romulus… proposa Faustulus. Ou plutôt… Romulus et Rémus. Tu ne trouves pas que ça sonne bien ?

sonner :
tinter agréablement aux oreilles

– Très bien.

– Leur vie a commencé d'une manière si extraordinaire ! Ils auront un grand destin, j'en suis sûr !

un destin :
un avenir particulier

– De toute façon, nous leur donnerons la meilleure éducation possible.

Dans les années qui suivirent, Romulus et Rémus grandirent tranquillement dans une pauvre cabane de berger. Leurs parents adoptifs les entouraient de beaucoup d'amour. À l'âge d'apprendre à lire et à écrire, ils furent envoyés dans une école réputée de la ville voisine.

Adolescents, les jumeaux se ressemblaient toujours autant. Sûrs d'eux, intelligents et courageux, ils devinrent les chefs d'une bande de garçons. Ils étaient toujours dehors avec leurs amis, à chasser du gibier, à guider les troupeaux, ou même à combattre des brigands de passage.

Un matin de printemps, un berger affolé surgit chez Faustulus et Larentia.

– Mes bêtes ont été volées !

– Comment ça ? Par qui ?

Le pauvre berger se mit à trembler.

– Par les soldats de notre roi Amulius !

Faustulus et Larentia hochèrent la tête avec compassion. Le roi d'Albe-la-Longue était un vrai tyran, qui ne connaissait pas la justice. Que pouvait faire un simple berger ? Mais Romulus et Rémus échangèrent un regard. Ils lancèrent au berger :

– Ne t'inquiète pas ! On va te le ramener, ton troupeau !

Rapidement, les jumeaux rassemblèrent leurs amis. Armés de glaives, d'arcs et de flèches, les adolescents montèrent à l'assaut du palais royal, à Albe-la-longue. Enhardis par le courage de leurs enfants, certains villageois se joignirent à eux. Puis d'autres ! Et encore d'autres, de plus en plus nombreux ! Tout le pays en avait assez du tyran Amulius.

hocher : secouer la tête de haut en bas

un tyran : une personne qui exerce un pouvoir absolu par la force

un glaive : une courte épée à deux tranchants

Un prisonnier royal

Le temps d'arriver au palais, Romulus et Rémus se retrouvèrent à la tête d'une véritable armée improvisée. Effrayés, certains gardes royaux s'enfuirent devant eux. D'autres se battirent avec l'énergie du désespoir.

Amulius fut contraint de se jeter dans la bataille. Entouré de sa garde rapprochée, il sautillait sur ses jambes grassouillettes, une épée dans chaque main. En face de lui, un jeune homme se battait avec fougue. Son glaive semblait voler de tous les côtés à la fois. Il réussissait à tenir tête à plusieurs soldats ! Le roi l'interpella d'une voix plaintive. Peut-être voulait-il l'amadouer ?

– Tu as du courage, jeune homme ! Quel âge as-tu ?

– Environ quinze ans, répondit Rémus en ferraillant. Je ne connais pas la date exacte de mon anniversaire. Nous avons été abandonnés à la naissance, mon frère jumeau et moi.

fougue :
ardeur, vivacité

amadouer :
être aimable avec quelqu'un pour obtenir quelque chose

ferrailler :
se battre à l'épée avec énergie

Des jumeaux abandonnés à la naissance, il y a quinze ans ! Le cerveau royal se mit à calculer à toute vitesse. Sous sa toge, les jambes d'Amulius se mirent à flancher. Il comprit la terrible vérité. Terrible pour lui, bien sûr.

flancher : faiblir

Il y a quinze ans, il avait ordonné à un serviteur de faire disparaître des jumeaux nouveau-nés, les enfants de sa nièce. Le serviteur avait dû le trahir… et abandonner les bébés quelque part au lieu de les tuer.

perturbé :
troublé

un insurgé :
une personne qui s'est révoltée

la liesse :
grande joie exprimée par une foule

hirsute :
à la barbe et aux cheveux en bataille

des loques :
des vêtements déchirés et usés

rassasié :
dont la faim a été satisfaite

Perturbé, le roi Amulius n'avait pas vu venir une nouvelle attaque de Rémus. D'un coup de glaive porté à sa poitrine, le jeune homme tua le tyran.

Aussitôt, les soldats qui avaient peur du roi, mais ne l'aimaient pas, cessèrent de se battre. Les insurgés étaient victorieux. Quelle liesse !

– Bon débarras ! s'écria un villageois.

– Quel horrible tyran c'était !

– Vous vous souvenez qu'il avait jeté son propre frère en prison ?

– Il s'appelait Numitor. Qu'est-il devenu ?

Dans les sinistres prisons du palais, Romulus et Rémus étaient déjà occupés à délivrer tous ceux qui s'y trouvaient. L'un d'entre eux, un vieillard hirsute et en loques, fut porté en triomphe par les villageois.

– Nous avons retrouvé Numitor !

– C'est lui qui doit devenir notre roi !

Dès qu'il fut rassasié, lavé, rasé, vêtu de frais, le nouveau roi demanda le récit de la rébellion. En apprenant l'histoire des jumeaux, le nouveau roi se mit à calculer comme l'avait fait Amulius. Animé d'un fol espoir, Numitor ordonna :

– Que l'on fasse venir le berger qui a découvert les bébés abandonnés !

Accouru au palais, Faustulus raconta comment il les avait trouvés, nourris par une louve, au pied d'un figuier en fleur.

– Mais oui ! murmura Numitor. La louve est une créature du dieu Mars… De même que la floraison des arbres au printemps ! (En effet, pour le peuple latin, Mars était le dieu de la Guerre, mais aussi celui du réveil de la nature après l'hiver.)

– Romulus et Rémus, vous êtes mes petits-fils ! Les fils de ma fille Rhéa Silvia !

Ébahis, les jumeaux pressèrent le nouveau roi de questions :

ébahi :
très étonné

– Qu'est devenue notre mère ?

– Qui est notre père ?

– Et le dieu Mars, que vient-il faire dans notre histoire ?

Numitor rassembla ses souvenirs.

fasciné :
captivé

– Je vais vous raconter tout ce que je sais.

Fascinés, Romulus et Rémus s'assirent au pied du trône pour l'écouter.

un trône :
un siège surélevé
sur lequel s'assied
un roi

17

Le récit de Numitor

Notre famille, raconta Numitor, est liée aux dieux depuis son origine.

Très loin d'ici, à l'autre bout de la Méditerranée, une guerre de dix années a opposé les Grecs à la ville de Troie. L'un des chefs troyens s'appelait Énée. C'était un combattant courageux, mais jamais cruel, contrairement à beaucoup d'autres ! Sa mère était la déesse de l'Amour, que les Grecs appelaient Aphrodite et que nous, les Latins, appelons Vénus. Son père, simple mortel, était un lointain descendant du plus puissant des dieux, Zeus pour les Grecs, Jupiter pour nous.

Lorsque Troie fut vaincue, les dieux aidèrent Énée à fuir. Le Troyen portait son vieux père aveugle sur son dos, et il tenait fermement la main de son jeune fils Ascagne. Après avoir longtemps marché, il réussit à trouver un bateau où s'embarquer. Le voyage des rescapés dura plus de sept ans. Ils errèrent sur la Méditerranée, d'île en île, d'aventure en aventure. Le père d'Énée mourut au cours du voyage.

Troie :
ancienne ville d'Asie Mineure *(la Turquie actuelle)*

Énée :
prince légendaire de Troie

rescapé :
personne qui a échappé à la mort

À Carthage, dans le nord de l'Afrique, les Troyens furent reçus avec bienveillance par une reine intelligente et courageuse : Didon. Celle-ci tomba follement amoureuse d'Énée. Le prince serait volontiers resté auprès d'elle, mais les dieux lui ordonnèrent de quitter Carthage, car il devait accomplir son destin.

Énée et son fils Ascagne arrivèrent dans le Latium, la région où nous sommes. C'est Ascagne qui fonda la ville d'Albe-la-Longue et en devint le roi.

Latium :
ancien pays
de l'Italie centrale

Ascagne est mon ancêtre direct, et donc le vôtre aussi Romulus et Rémus. Par lui, nous sommes des descendants très lointains des Troyens et de la déesse Vénus !

À la mort de mon père, mon frère Amulius et moi aurions dû gouverner ensemble Albe-la-Longue. Mais mon frère ne supportait pas de partager le pouvoir !

Très riche, il acheta la fidélité des gardes royaux et il me fit jeter en prison. Pire encore : il fit assassiner mes deux fils ! Quant à ma fille Rhéa Silvia, il l'obligea à devenir vestale, c'est-à-dire prêtresse de Vesta, la déesse du Foyer. Les vestales n'ont pas le droit de se marier ni d'avoir d'enfants. Ainsi, Amulius était sûr que je n'aurais pas d'autres descendants.

Un serviteur fidèle me donnait secrètement des nouvelles. Par lui, j'appris un jour que Rhéa Silvia était enceinte.

Envoyée dans un bois sacré pour puiser de l'eau à une fontaine, elle avait rencontré un beau jeune homme dont elle était tombée amoureuse ! Le jeune homme lui avait révélé qu'il était le dieu Mars en personne.

puiser : tirer de l'eau

21

Neuf mois plus tard, ma fille donnait naissance à des jumeaux, deux garçons vigoureux : vous, Romulus et Rémus !

fulminer :
entrer dans une violente colère

échouer :
ne pas réussir

Amulius devait fulminer, car ses plans avaient échoué. Je craignais pour la vie de ma fille et de mes futurs petits-fils. Hélas, j'avais raison ! Bientôt, on me raconta que les nouveau-nés avaient été tués et que, désespérée, la pauvre Rhéa Silvia s'était jetée dans le Tibre.

Une nouvelle fondation

Le récit de Numitor plongea Romulus et Rémus dans des sentiments forts et contradictoires.

contradictoire :
opposé

avoir le cœur serré :
être très triste

D'un côté, leur cœur se serra à la pensée que jamais ils ne connaîtraient leur mère Rhéa Silvia. De l'autre, ils furent émus de savoir que leur père, le dieu Mars, n'avait cessé de les protéger discrètement depuis leur naissance.

Olympe :
montagne sacrée du nord de la Grèce, lieu de séjour des dieux

Surtout, ils étaient fiers d'être les fils d'un des dieux les plus puissants de l'Olympe !

Ils comprenaient mieux leur soif d'action, de bagarre et de gloire. Les fils du dieu de la Guerre n'auraient pas pu avoir une autre personnalité !

– Rémus ? demanda Romulus un peu plus tard.

– Oui ?

– Est-ce que tu as vraiment envie d'attendre la mort de Numitor pour régner ?

– Bien sûr que non ! Je souhaite que notre grand-père vive le plus vieux possible, mais j'ai hâte d'être roi à mon tour ! Je veux réaliser de grandes choses.

– Fondons une nouvelle ville !

Les jumeaux demandèrent à Faustulus de leur indiquer l'endroit exact où il les avait trouvés, il y avait de cela quinze ans, tétant la louve.

Le vieux berger les conduisit non loin du Tibre, au milieu de plusieurs collines verdoyantes. Malheureusement, à cause de toutes les années écoulées, il ne se souvenait plus exactement de quelle colline il s'agissait. Le figuier sauvage avait disparu. La louve aussi, évidemment !

Faustulus hésita :

– J'avais gardé en mémoire que c'était sur le mont Palatin… Pourtant, une fois sur place, j'ai plutôt l'impression que c'était sur le mont Aventin…

Les jumeaux avaient de grandes qualités. Mais aussi un terrible défaut : ils s'emportaient facilement. La moutarde leur monta au nez.

– Allez, Faustulus, concentre-toi un peu !

Le malheureux berger tournait la tête à droite, à gauche, incapable de trancher. Les deux collines étaient à la même distance du Tibre. Et il avait souvent conduit ses bêtes dans les prés de l'une comme de l'autre. Ses souvenirs se mélangeaient.

– Je sais !

– Ah !

– Vous qui êtes les fils du dieu Mars, fiez-vous aux auspices ! Observez bien le vol des oiseaux, c'est lui qui vous indiquera où fonder votre ville.

Aussitôt, Romulus et Rémus se précipitèrent chacun vers une colline. Faustulus en profita pour s'éclipser.

la moutarde leur monta au nez : ils se mirent en colère

trancher : décider

les auspices : présages, signes qui permettent de connaître l'avenir

s'éclipser : disparaître furtivement

Le vol des vautours

Au sommet du mont Palatin, Romulus scruta avec impatience le ciel. Rémus avait choisi de se poster en haut du mont Aventin, la colline voisine. De son frère ou de lui, lequel verrait le premier des oiseaux s'approcher ?

scruter : examiner attentivement

L'azur était sans nuage. Aucun vent n'agitait les feuillages. Soudain, Romulus entendit Rémus crier :

l'azur : le bleu du ciel

– Six vautours ! J'ai gagné !

Presque immédiatement, Romulus aperçut à son tour un V grandissant à l'horizon. Lorsque les oiseaux s'approchèrent, il reconnut leurs longs cous arqués et leurs ailes puissantes. D'autres vautours ! Il se dépêcha de les compter :

arqué : courbé

– Neuf… Dix… Onze… Douze !

Il cria en direction du mont Aventin :

– Moi, j'en ai vu douze, Rémus ! C'est moi qui ai gagné !

– J'ai été le premier à voir des oiseaux ! hurla Rémus.

– Oui, mais moi, j'en ai vu le double de toi !

Vite, avant que son frère ne s'y oppose, Romulus descendit chercher les bêtes qu'ils avaient conduites ici pour fonder une ville selon la tradition latine. Il s'agissait d'une vache et d'un taureau, tous les deux d'un blanc immaculé. Un joug les reliait et une charrue y était accrochée.

Romulus se concentra. Le sillon qu'il allait tracer était sacré ! À son emplacement précis allaient bientôt s'élever les remparts de sa ville. Au contraire, les portes ne devaient pas être sacrées, car elles étaient destinées à être franchies par un grand nombre de personnes, d'animaux et d'objets. Alors, là où il prévoyait une porte, Romulus devait soulever le soc de sa charrue et laisser la terre intacte.

immaculé :
sans aucune tache

un joug :
une pièce de bois servant à atteler deux animaux de trait

un soc :
une pièce en fer large et pointue de la charrue qui sert à creuser des sillons

Adossé à un arbre, Rémus regardait son jumeau guider l'attelage. Le soc s'enfonçait sans trop de peine dans la terre que les pluies de printemps avaient amollie. Mais le cœur de Rémus était lourd d'amertume et de jalousie. Est-ce que Romulus n'était pas en train de lui voler sa victoire ? Pourquoi les dieux préféreraient-ils son frère ? Est-ce que lui, Rémus, n'était pas au moins aussi fort et intrépide ?

l'amertume :
la rancœur,
le mécontentement

intrépide :
qui n'a peur de rien

Le dessin de sa ville achevé, Romulus triompha :

– Et voilà ! Il est interdit de franchir ces frontières sans mon autorisation !

piqué au vif : vexé

Piqué au vif, Rémus sauta par-dessus le sillon sacré.

– Ah, ah ! C'est facile d'entrer chez toi, Romulus !

Fou de rage, Romulus bondit sur lui, son glaive à la main. Rémus n'eut pas le temps de se défendre, il fut tué.

– Ainsi périront tous ceux qui franchiront ces remparts ! s'écria Romulus.

L'instant d'après, il fut saisi par le désespoir. Quel crime venait-il de commettre ! Rémus était son jumeau, son double, le seul avec qui partager un destin hors du commun ! Pourquoi n'avaient-ils pas réussi à s'entendre au lieu de se battre comme des ennemis !

Une ville de brigands

Romulus était tellement désespéré qu'il voulut mourir à son tour. Il posa sa propre lame sur sa poitrine… Ses amis de jeunesse surgirent à cet instant et le ceinturèrent.
– Tu n'as pas le droit de te tuer, Romulus ! Pense aux dieux ! Ils t'ont protégé de tant de dangers ! Ils veulent que tu fondes ta ville, qui aura une histoire exceptionnelle.

ceinturer : retenir quelqu'un en le saisissant par le milieu du corps

Malgré son dégoût de lui-même, Romulus accepta de les écouter. Il décida d'enterrer Rémus sur le mont Aventin. Puis il annonça à ses compagnons :

– Ma ville, je l'appelle Rome ! Ce mot évoque autant le nom de mon frère que le mien.

Grâce aux amis de Romulus, la construction de Rome avança rapidement. Tous décidèrent de s'y installer. Mais un groupe d'adolescents ne pouvait suffire à la peupler. Alors Romulus envoya des messagers loin par-delà les collines pour diffuser une annonce :

– Moi, Romulus, roi de Rome, je propose à tous ceux qui le souhaitent de venir s'installer dans ma ville. Vous êtes vagabond, réfugié, esclave en fuite, bandit de grand chemin ? Qu'importe ! Vous êtes le bienvenu à Rome !

Cette annonce rencontra un grand succès et bientôt la nouvelle ville grouilla de monde.

grouiller :
abonder, regorger

Quelques mois après la fondation, Romulus se promenait dans sa ville. Il admirait les remparts solides, les rues animées, les champs prêts à être semés. Rome était une réussite !

Soudain, il s'arrêta net. Son regard se fixa tour à tour sur tous ceux qu'il rencontrait. Il venait de comprendre qu'il était confronté à un énorme problème. Tous les Romains étaient des hommes. Sans femme, pas d'enfants. Rome s'éteindrait aussi vite qu'elle avait été fondée !

Comment trouver des femmes ? Lui, en tant que roi, allait bien trouver une princesse à épouser. Mais ses sujets, adolescents bagarreurs, esclaves en fuite, bandits de grand chemin, quel père accepterait de leur donner sa fille en mariage ?

narquois :
moqueur, ironique

Consus :
dieu dont le nom vient du mot latin *consilium* parce qu'il passait pour être de bon conseil

opiner :
hocher la tête en signe d'approbation

les jeux Consuales :
jeux en l'honneur du dieu Consus

Un sourire narquois apparut sur le visage de Romulus. Il venait d'imaginer une ruse qu'il trouvait excellente !

Aussitôt, il appela autour de lui ses amis, qui étaient devenus les administrateurs de Rome :

– Je voudrais mettre notre jeune ville sous la protection du dieu Consus. C'est lui qui permettra aux grains que nous allons semer de survivre au froid et aux animaux. Ainsi notre première récolte sera un succès.

Les administrateurs opinèrent de la tête.

– J'ai décidé d'organiser une grande fête le 21 août : les jeux Consuales.

Les administrateurs l'approuvèrent.

– Et pour que la fête soit plus belle, poursuivit Romulus, nous allons inviter les Sabins, nos voisins les plus proches.

Puis il se pencha vers les administrateurs et, à voix basse, leur expliqua le piège qu'il avait imaginé.

La ruse de Romulus

Le 21 août, donc, les Sabins se rendirent nombreux et en famille à l'invitation des Romains. On leur fit admirer la vue depuis le mont Palatin, les nombreuses constructions, la solidité des fortifications… Puis on les conduisit en dehors de la ville, au pied des remparts, là où allaient se dérouler les jeux Consuales.

La première épreuve était une course de chevaux. Entre les deux équipages de tête, le duel était serré. Tous les Sabins étaient captivés par le spectacle. Les Romains, eux, ne cessaient de regarder en direction de la loge royale où se trouvaient Romulus et le roi des Sabins, Titus Tatius.

un duel :
une lutte, un combat

35

Soudain, Romulus leva les bras. C'était le signal attendu par les Romains ! Aussitôt, ceux-ci bondirent sur leurs pieds. Ils se précipitèrent vers les jeunes filles des familles de Sabins. Ils les prirent dans leurs bras et coururent se réfugier à l'intérieur des remparts. Les portes de la ville se refermèrent derrière eux.

Dès que les Sabins réalisèrent ce qui s'était passé, ce fut un flot de colère et de protestations. Toutes les lois de l'hospitalité avaient été bafouées ! Les hommes tirèrent leurs glaives de leurs fourreaux et se lancèrent à l'assaut des remparts.

À l'intérieur de la ville, la situation n'était guère plus paisible. Furieuses d'avoir été enlevées, les Sabines refusèrent d'être mariées de force. Sur la place centrale, Romulus prit la parole :

– Jeunes Sabines, nous avons été contraints d'agir ainsi parce que vos pères ne nous jugent pas dignes de vous épouser. Mais regardez-nous ! Nous sommes pleins de vaillance. La ville que nous venons de fonder est promise à un avenir extraordinaire ! Ne voulez-vous pas participer à l'aventure de Rome ?

Certaines jeunes filles commencèrent à réfléchir. D'autres voulaient des garanties. Romulus leur promit alors que, dans sa ville, toutes les femmes seraient traitées avec respect. Pour cela, il allait créer des lois. Convaincues, la plupart des Sabines acceptèrent d'épouser un Romain.

une protestation : le fait de montrer avec force son désaccord

bafoué : traité avec mépris

un brouhaha :
un bruit confus

Dans le brouhaha des nombreux mariages qui furent tout de suite célébrés, une jeune Sabine, Tarpéia, réussit à s'éclipser.

Discrètement, elle s'approcha d'une des portes de la ville et réussit à l'ouvrir. Aussitôt, les Sabins s'engouffrèrent dans Rome, bien décidés à récupérer leurs filles et à se venger de l'affront subi. Une bataille très violente s'engagea dans les rues.

Le début de l'aventure

Bientôt il y eut des morts et partout des blessés. Cette vision révolta une jeune Sabine, qui venait d'épouser un Romain. Elle se précipita entre les combattants en criant :

s'entre-tuer :
se tuer les uns
les autres

– Nos pères et nos époux vont-ils donc tous s'entre-tuer ? Toutes les Sabines vont-elles devenir veuves et orphelines ? Pères, ayez pitié de vos filles ! Époux, ayez pitié de vos femmes !

Peu à peu, les cris et le choc des glaives contre les boucliers cessèrent. Au fond d'eux-mêmes, les hommes reconnurent que la jeune Sabine avait raison. Un peu honteux, Romulus s'avança vers le roi des Sabins :

– Faisons la paix, Titus Tatius. Réunissons nos peuples et partageons le pouvoir.

Titus Tatius hésita. Mais sa propre fille le supplia d'accepter. Et puis il pressentait que cette ville, fondée par des jeunes gens fougueux, ferait parler d'elle. Un jour, il serait flatteur d'être associé à son destin.

fougueux :
enthousiaste

flatteur :
agréable et favorable

Ainsi se peupla Rome. Peu après cet accord, Titus Tatius mourut de vieillesse. Romulus régna seul pendant plus de trente ans sur sa ville qui prospérait.

Une nuit d'orage, le roi Romulus disparut. Certains assurèrent qu'il avait été enlevé par son père, le dieu Mars, et emmené dans l'Olympe, là où résident les dieux. À son tour, il était devenu un dieu. Les Romains décidèrent de l'honorer sous le nom de Quirinus. Ainsi s'acheva la destinée humaine de Romulus.

Quant à Rome, la ville entreprenante et guerrière qu'il avait fondée, elle n'en était qu'au début de ses aventures !

résider :
habiter

40

Sophie Marvaud

Un voleur chez le sénateur

Illustré par Jean-Pascal Jauzenque

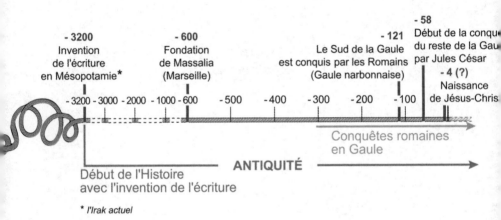

- 3200
Invention
de l'écriture
en Mésopotamie*

- 600
Fondation
de Massalia
(Marseille)

- 121
Le Sud de la Gaule
est conquis par les Romains
(Gaule narbonnaise)

- 58
Début de la conquê
du reste de la Gau
par Jules César

- 4 (?)
Naissance
de Jésus-Chris

- 3200 - 3000 - 2000 - 1000 - 600   - 500   - 400   - 300   - 200   - 100

Conquêtes romaines
en Gaule

ANTIQUITÉ

Début de l'Histoire
avec l'invention de l'écriture

l'Irak actuel

Une villa extraordinaire

Tiré par deux mules, le chariot tressaute sur les pierres de la route. Heureusement, les pots, vases et statuettes qu'il transporte sont bien calés !
À l'avant du chariot, un artisan gaulois, Onnogenos, et sa fille Galatéa chantent à pleins poumons. Grâce à la route construite par les soldats romains, Onnogenos espère trouver de nouveaux clients. Quant à Galatéa, elle est heureuse de quitter pour quelques jours l'atelier de céramiques de ses parents.

une villa :
un domaine agricole dans l'Italie et la Gaule antiques

tressauter :
être secoué par des cahots

à pleins poumons :
à pleine voix, à tue-tête

des céramiques :
des objets de terre cuite utilisés comme récipients

La fillette se redresse pour observer avec intérêt des paysans dans un champ. Ils moissonnent à l'aide de caisses en bois tirées par des bœufs. Soudain, elle remarque, un peu à l'écart de la route, un long mur d'enceinte qui abrite plusieurs bâtiments.
– Papa ! Regarde…
– Ah ! s'exclame Onnogenos. Voilà sûrement une de ces villas que construisent les Romains. Il paraît qu'elles sont extraordinaires !
Le chariot tourne dans un chemin. Puis, franchissant un portail, il pénètre dans une cour de ferme, immense et tout en longueur. Poules, canards et oies s'écartent en se bousculant.
Guidant ses mules, Onnogenos passe entre les bâtiments agricoles. Là, des meules de foin sèchent au soleil. Ici, un vacher conduit un troupeau hors de l'étable.
Partout, des paysans vont et viennent, un outil sur l'épaule.
Ayant repéré la demeure du maître au fond de la cour, Onnogenos se dirige vers elle. Plus il s'en approche, plus il est impressionné. Cette galerie à colonnades est très élégante !

Surtout ainsi mise en valeur par un long
toit plat de tuiles rouges.

Onnogenos se frotte les mains.

– Je flaire la bonne affaire !

– Tu crois, papa, que les Romains apprécient
les céramiques gauloises ? s'inquiète
Galatéa.

– On va bien voir ! répond son père en
sautant du chariot.

flairer :
pressentir

Ils se présentent à l'entrée du jardin, qui sépare la demeure de la ferme. Autour d'une jolie fontaine, des jardiniers sont en train de planter des lilas et des oliviers.

Un homme s'approche à grandes enjambées. Il est coiffé et vêtu à la romaine, avec les cheveux coupés court et une tunique. Mais son teint hâlé montre qu'il travaille en plein air.

hâlé :
bruni par le grand air et le soleil

– Bonjour ! dit Onnogenos avec enthousiasme. Serais-tu le régisseur de cette villa ? Nous apportons un très grand choix de magnifiques céramiques à montrer à ton maître !

un régisseur :
personne chargée de gérer le domaine

L'homme fronce les sourcils.

– Revenez une autre fois ! Vous tombez très mal !

– Que se passe-t-il ?

– Le sénateur Probus est très en colère. Un voleur se cache dans sa villa !

Le roi des pommes

Onnogenos n'a pas le temps de demander qui est ce voleur et ce qu'il a volé. Un jeune garçon jaillit de la maison.

– Maître Avallorix ! Le sénateur te demande de toute urgence dans sa chambre ! Galatéa dissimule un sourire. En gaulois, *Avallo* signifie la pomme et *Rix* le roi. Le nom du régisseur signifie donc « le roi des pommes » !

Avallorix se précipite vers la demeure du maître. Onnogenos attrape la main de sa fille et l'entraîne. Il ne veut pas rater cette occasion de voir l'intérieur de la villa !

Suivant le régisseur, ils pénètrent sous les colonnades et traversent plusieurs salles ornées de mosaïques colorées. Assise dans un fauteuil d'osier, une jeune femme se fait coiffer par deux servantes. Avec étonnement, elle regarde passer le régisseur, l'artisan et sa fille.

Le sénateur les accueille par des cris furieux. Onnogenos et Galatéa s'arrêtent prudemment sur le seuil.

jaillir :
sortir précipitamment

dissimuler :
cacher

une mosaïque :
une décoration réalisée avec un ensemble de petits fragments multicolores de céramique ou de marbre et formant un dessin

47

**un froid
de canard :**
un grand froid
(langage familier)

rondouillard
(familier) :
qui a de
l'embonpoint,
grassouillet

s'emmitoufler :
s'envelopper

**emboîter
le pas :**
suivre

– Il fait un froid de canard dans cette chambre ! hurle Probus. Quelqu'un veut-il ma mort, ici ?

Assis au bord de son lit, un petit homme rondouillard s'emmitoufle de couvertures de laine. Le régisseur reste à bonne distance, l'air très étonné.

– C'est vrai qu'il fait froid. Je vais vérifier le système de chauffage. Je reviens tout de suite, sénateur Probus !

Onnogenos et Galatéa lui emboîtent le pas. Ils passent à nouveau devant la jeune femme et ses servantes, traversent les salles aux mosaïques, puis sortent sous les colonnades. Mais là, Avallorix tourne dans une petite construction de côté. Un escalier descend sous la terre, éclairé par des torches.

Une vingtaine de marches plus bas, ils parviennent dans un couloir étroit qui semble sans fin. À mi-chemin se trouve une cheminée, où brûle un grand feu. Au-dessus, de petites galeries en argile partent dans toutes les directions.

Onnogenos est épaté. Il souffle à l'oreille de sa fille.

– Tu vois ces galeries, Galatéa ? L'air chaud circule dedans et chauffe toute la maison du sénateur ! Quelle installation moderne ! J'ai hâte de raconter ça à ta mère !

Devant le foyer, un jeune esclave s'active, remettant des bûches. Furieux, le régisseur l'attrape par l'épaule et le secoue.

épaté : extrêmement surpris et étonné

avoir hâte : être pressé

le foyer : le feu entretenu dans une maison

– La chambre du sénateur Probus est glacée ! Avoue que tu t'es endormi au lieu de faire ton travail !

Le garçon proteste :

– Mais non, régisseur Avallorix ! Je te jure que je n'ai pas fermé l'œil depuis plusieurs heures que je suis ici !

– Et tu mens, en plus ! Tu vas passer un mauvais quart d'heure !

Le régisseur met la main au fouet accroché à sa ceinture. Le jeune esclave se protège le visage de son bras. Aussitôt, Onnogenos arrête le geste d'Avallorix.

– Hé, attends ! Vérifions d'abord que le chauffage fonctionne !

Un étrange bouchon

Onnogenos choisit une bûche mince et l'enfonce dans chacune des galeries chauffées par le feu. Leur ouverture est large comme deux briques.

– Là, il y a quelque chose qui bouche cette galerie !

Soulagé, le régisseur range son fouet.
– Voilà pourquoi l'air chaud ne parvenait plus jusqu'à la chambre de Probus !
Galatéa sourit au jeune esclave. Elle a eu très peur pour lui !
À l'aide de la bûche, Onnogenos rapproche peu à peu ce qui bouche la galerie. Tout le monde s'attend à voir un chiffon ou une brique, oublié par un ouvrier…
– Une coupe en argent ! s'exclame l'artisan gaulois.

Avallorix la lui arrache des mains.
– Elle appartient à Probus ! D'habitude, elle est posée près de son lit. Il y range ses bagues avant de se coucher.
Il contemple la coupe, perplexe.
– Je n'y suis pour rien… bafouille le jeune esclave en reculant le plus possible.
– Ce garçon ne peut pas être le voleur ! renchérit Onnogenos. Il sait que, s'il met en panne le chauffage, on va s'en prendre à lui !

perplexe :
qui ne sait quoi penser

renchérie :
approuver quelqu'un en insistant

– Tu as raison, reconnaît le régisseur, je suis trop préoccupé pour réfléchir clairement. Si je ne retrouve pas très vite le voleur qui s'en prend à Probus, je vais perdre mon travail et peut-être la vie !

L'artisan hoche la tête avec sympathie.

– Et si tu me racontais ce qui se passe ici ? Nous pourrions peut-être t'aider, ma fille a un très bon sens de l'observation.

– Hier, raconte le régisseur, quelqu'un s'est introduit dans la demeure du maître, la nuit. Le voleur s'en est pris à une bourse pleine de pièces d'or. Par une chance extraordinaire, la bourse a été retrouvée. Sous le matelas de la femme de Probus, Sabina !

– Drôle d'histoire ! fait Onnogenos, perplexe. Est-ce que tu crois que cette Sabina aurait pu voler son mari ?

Le régisseur hausse les épaules.

– Les femmes romaines ont encore moins de liberté que les gauloises. Elles ne peuvent rien faire sans leur mari ou leur père. Alors, à quoi cela pourrait-il lui servir, d'avoir de l'argent ?

Menaces sur le régisseur

Tout en discutant, ils sont remontés dans le jardin. Ils se dirigent à nouveau vers la chambre du sénateur qui est vide. Galatéa en profite pour admirer les mosaïques qui ornent les murs. L'une d'elles représente un bébé juché sur une vache. À la queue de l'animal sont accrochés des branchages. Galatéa éclate de rire :

– Qu'est-ce que ça veut dire, papa ?

Onnogenos n'en sait rien. Avallorix accepte de les éclairer.

– Ce bébé, c'est le dieu, Hermès. Dès le premier jour de son existence, il vole les vaches d'un autre dieu, Apollon. Mais Apollon pourrait retrouver son troupeau grâce aux traces laissées sur le sol. Alors Hermès accroche aux queues des vaches des branchages qui effacent leurs traces au fur et à mesure qu'elles avancent !

Galatéa aimerait bien qu'on lui explique les autres mosaïques. Mais Avallorix est trop préoccupé.

juché : perché

Hermès : dieu grec des voleurs et des marchands ; il était aussi le messager des dieux *(nom romain : Mercure)*

Apollon : dieu grec fils de Zeus, Apollon était le plus beau des dieux. C'était le protecteur de tous les arts

les thermes :
pièce chauffée à la vapeur d'eau dans laquelle les Romains prenaient leur bain

une aile :
partie d'un édifice perpendiculaire au corps de bâtiment principal

gesticuler :
faire des gestes dans tous les sens

– Probus est probablement allé se réchauffer dans ses thermes privés. Venez avec moi.

Dans une autre aile de la maison, Avallorix pousse une porte épaisse. Ils entrent. La chaleur humide est étouffante ! Au milieu de la vapeur d'eau, un petit bonhomme gras gesticule, vêtu d'une simple serviette autour de la taille.

– Avallorix ! hurle le sénateur Probus. As-tu résolu le mystère du chauffage ?

Rapidement, le régisseur lui raconte la découverte de la coupe en argent.

– Justement, cette nuit, j'ai rêvé de Vulcain, le dieu du Feu. C'était un signe, s'écrie le sénateur, puisque tu as retrouvé ma coupe dans le système de chauffage. Heureusement que les dieux me protègent ! Si je devais compter sur toi… ! Où en es-tu de ton enquête ?

– Je fais de mon mieux, sénateur Probus.

– Si tu ne trouves rien, c'est toi que je ferai juger pour vol ! Et tu sais comment on traite les voleurs dans notre loi romaine ? On leur coupe les mains !

Les trois Gaulois quittent la salle.

– Le sénateur veut un coupable, murmure Onnogenos. Même si ce n'est pas le bon ! Mais quelle chaleur, là-dedans ! ajoute-t-il.

– Ça peut être très détendant de transpirer en discutant avec des amis, murmure Avallorix. Si quelqu'un a besoin de ça, en ce moment, c'est bien moi !

détendant : qui procure du bien-être

Effondré, le régisseur se prend la tête entre les mains.

– Cette fois, c'est sûr ! Nous n'avons pas affaire à un simple voleur ! Quelqu'un **dérobe** des objets précieux qui appartiennent au sénateur, puis s'arrange pour qu'on les retrouve. Il veut attirer sur moi la colère de Probus !

– Mais pourquoi ? As-tu un ennemi en particulier ?

Avallorix baisse la tête.

– Non. Mais je n'ai pas d'amis non plus ! tu comprends, Probus est un maître très exigeant. Je suis obligé d'être sévère moi aussi.

Instinctivement, il touche le fouet qui est accroché à sa ceinture.

dérober :
voler

instinctivement :
machinalement

L'épouse du sénateur

Avallorix n'est pas plus tôt sorti de la maison que des paysans se précipitent vers lui.

– Maître ! Certains disent qu'il va y avoir de l'orage ! Quelle partie du domaine devons-nous moissonner en priorité ?

– Une vache est en train de vêler ! Viens vite, maître !

vêler : donner naissance à un veau

– Au verger, les cerises sont mûres ! Qui doit s'occuper de la cueillette ?

Pendant qu'Avallorix retourne s'occuper de la ferme, Onnogenos décide de visiter la villa, pièce par pièce. Il veut étudier des emplacements possibles pour des vases ou des statuettes, afin d'en proposer la fabrication au sénateur.

Il commence par l'entrée, une salle carrée dont les mosaïques représentent des grappes de raisin, des pommes, des poires, des noisettes…

– Ici, dit Onnogenos, je verrais bien une déesse de l'Abondance, avec des fruits sur ses genoux…

un tesson :
un morceau
de poterie

Tirant un tesson de sa poche, il trace dessus un dessin rapide pour s'en souvenir.

Galatéa s'ennuie. Soudain, un parfum délicieux vient chatouiller ses narines. Il l'entraîne vers l'arrière de la maison… Dans la cuisine.

Là, plusieurs servantes s'affairent autour d'une table. L'une épluche des légumes qu'elle jette dans une marmite avec des herbes. L'autre plume un poulet. Debout, une femme leur donne des ordres. Elle est coiffée d'un épais chignon retenu par des nattes fines. Les plis de sa longue tunique

s'affairer :
s'occuper de faire
quelque chose
de façon active

sont impeccables. Il s'agit sûrement de Sabina, la femme du sénateur.

– Pour adoucir l'humeur de Probus, vous allez préparer des biscuits au miel et aux noisettes. Ce sont ses préférés.

Elle remarque Galatéa. La fillette veut s'éclipser discrètement, mais la jeune femme la retient.

s'éclipser :
s'esquiver, s'en aller discrètement

– N'aie pas peur ! Viens discuter un peu avec moi. Ça me changera les idées !

Sabina est souriante et amicale. Répondant à ses questions, Galatéa raconte sa vie à l'atelier de céramiques, où elle aide ses parents.

Puis c'est au tour de la jeune épouse de se confier. Elle n'a que quinze ans ! Elle est pourtant déjà mère d'un enfant, qui vit chez une nourrice à Rome.

une nourrice :
une femme qui autrefois allaitait et élevait un enfant qui n'était pas le sien

– La campagne gauloise est belle. Mais comme j'ai hâte de retourner à Rome ! Cela fait plusieurs mois que je n'ai pas vu mon fils !

La politesse empêche Galatéa de demander si le sénateur est gentil avec son épouse. Mais la fillette remarque les jolies fibules

une fibule :
une boucle ou une broche servant à attacher un vêtement

qui ferment la tunique de Sabina : des chiens de chasse en argent, finement sculptés. Galatéa s'extasie :

– Comme ils sont mignons !

– Merci. C'est Probus qui me les a donnés.

Il adore la chasse. C'est pour cela, hélas, qu'il refuse obstinément de rentrer à Rome avant l'arrivée de l'hiver !

Galatéa la fixe avec curiosité : et si c'était la propre femme du sénateur qui lui dérobait des objets précieux… Ne pouvant supporter cette longue séparation avec son fils, elle voudrait décourager son mari de rester en Gaule ?

Protégé des dieux ?

Sabina entraîne Galatéa à l'autre bout de la demeure, dans la chambre de Probus. Le fond de la pièce est consacré aux dieux de la Famille. Sur une table haute est posé un temple miniature, à l'intérieur duquel sont disposées plusieurs statuettes d'argile creuses.

une demeure :
une vaste habitation

La fillette désigne un guerrier :

Teutatès :
dieu celte assimilé
à Mars par les
Romains et aussi
dénommé Toutatis

– Est-ce que c'est le dieu gaulois Teutatès ?

– Mais non ! C'est Mars, notre dieu de la Guerre.

– Ils se ressemblent beaucoup !

Sabina continue les présentations :

– Voici Jupiter, le chef des dieux. C'est lui qui déclenche les orages. Sa femme, c'est elle, Junon. Elle protège les femmes mariées. Lui, c'est Vulcain, le dieu des forgerons…

Galatéa l'interrompt :

– Et ce bébé avec des ailes ? Est-ce que c'est Hermès ?

– Oui, le dieu messager, le patron des voyageurs, des bergers… et même des voleurs !

– Tu crois qu'il protège le voleur de Probus, en ce moment ?

Elles échangent un regard amusé… Et Sabina éclate de rire.

un sacrifice :
une offrande faite
aux dieux consistant
à mettre à mort
un animal

– Ne dis surtout pas ça à mon mari ! Il est persuadé que les dieux le protègent, lui ! D'ailleurs, ce soir, il veut faire un sacrifice pour les remercier.

Après un silence, elle ajoute :
– Tu sais qu'on lui a d'abord volé une bourse pleine de pièces d'or. Nous l'avons retrouvée grâce à Probus. La nuit précédant le vol, il avait rêvé de Junon, la protectrice des femmes mariées. Il a donc eu l'idée de venir regarder dans mon lit. Sous mon matelas se trouvait la bourse ! J'en étais la première étonnée !
Sabina fixe Galatéa de ses grands yeux ronds. Elle semble sincère.
– Vraiment bizarre ! s'écrie la fillette. Probus a raconté au régisseur que, la nuit dernière, il a rêvé de Vulcain. Et ce matin, nous avons retrouvé sa coupe d'argent au-dessus du feu qui chauffe la maison !
– Peut-être qu'il est vraiment protégé des dieux, dit Sabina avec un respect soudain.
– Il en aurait de la chance ! fait Galatéa.

Les langues se délient

Ce même jour, en fin d'après-midi, Probus revient de la chasse, très content de lui. Il rapporte une biche blessée. L'animal mourant est sacrifié sur l'autel privé du sénateur.

Au festin qui suit, Probus convie non seulement sa femme, son régisseur, et ses serviteurs les plus proches, mais aussi Onnogenos et sa fille.

Une amphore sous le bras, l'artisan gaulois en profite pour demander :

– Vas-tu planter des vignes dans ton domaine, sénateur Probus ?

– Hum… On dit que le climat gaulois est un peu trop humide… Mais j'ai quand même envie d'essayer !

– Alors, admire ce modèle d'amphore tout à fait nouveau ! À fond plat ! Beaucoup moins fragile que le modèle traditionnel !

– Entourées d'osier, les amphores habituelles ne se cassent pas ! réplique le sénateur, et je n'aime pas changer mes habitudes…

Onnogenos sort de sa poche une petite statuette en terre blanche.

– Peut-être es-tu plutôt intéressé par les objets décoratifs ? Regarde cette jolie Vénus sortant du bain. Comme elle a été finement sculptée !

– Oui, c'est assez joli…

– Aujourd'hui, j'ai eu le plaisir de visiter tes thermes. Je verrais bien une petite Vénus à chacun des angles de ta piscine !

– Hum…

Onnogenos se tourne vers Sabina.

– Et ta matrone, sénateur Probus ? Aurait-elle envie d'une statue de déesse qui allaite son enfant ?

une matrone : femme d'un citoyen romain

La jeune femme lance un coup d'œil interrogatif en direction de son maître. On dirait qu'elle n'ose pas donner son avis. Le sénateur hausse les épaules.

– Ces déesses-là se ressemblent toutes !

Pendant que son père cherche à intéresser ce client riche mais difficile, Galatéa préfère s'asseoir parmi les serviteurs.

Loin des oreilles de Probus et d'Avallorix, esclaves et affranchis bavardent librement à voix basse. Mais bien qu'ils se régalent des viandes et des charcuteries offertes, ils semblent de mauvaise humeur.

un affranchi : un esclave auquel on a rendu la liberté

65

— Maudits Romains ! murmure une femme entre ses dents.

Près de Galatéa, un homme se ressert d'hydromel et se lamente.

— Autrefois, j'avais ma petite maison, mon champ, ma vache et quelques poules. Mais les Romains sont arrivés et ils ont confisqué mon champ. Pour survivre, je suis obligé de travailler pour eux !

Un vent de révolte souffle de ce côté-ci de la table.

— Sans certains Gaulois qui les aident, ces Romains isolés dans nos campagnes ne pourraient pas s'en sortir !

Dans un compotier, l'un des jardiniers attrape une pomme.

— Je hais les Romains ! Et je hais les régisseurs gaulois !

Il lance un coup d'œil vers Avallorix, qui ne le regarde pas. Puis, d'un geste précis, le jardinier lance son couteau. La lame se plante au cœur de la pomme.

de l'hydromel : boisson faite d'eau et de miel, parfois fermentée

se lamenter : se plaindre

confisquer : saisir, prendre autoritairement en application d'un règlement

un compotier : un plat creux en forme de coupe pour les fruits

Marqués dans l'argile

Lorsque le festin se termine, Onnogenos prend à part le maître des lieux.

un festin :
un grand repas

– Sénateur Probus, dans mon chariot, j'ai un peu d'argile fraîche. Nous pourrions la mettre à l'entrée de ta chambre. Comme ça, si ton voleur se manifeste à nouveau, il nous laissera ses empreintes de pas !

Enthousiasmé, le sénateur serre l'artisan dans ses bras.

– Onnogenos, tu as des idées dignes d'un citoyen romain !

L'artisan sourit.

– Surtout, ne préviens personne ! Ni ta femme, ni ton régisseur, ni tes serviteurs les plus fidèles !

– D'accord.

Le soir, allongée dans le chariot, Galatéa a du mal à s'endormir. Elle se demande quelles empreintes de pas ils vont découvrir le lendemain dans l'argile.

Celles de Sabina, qui voudrait retourner

des biens :
ce que l'on possède

rapidement à Rome ? Celles d'un paysan ou d'un serviteur ? Ils sont très pauvres et ils seraient ravis de faire accuser le régisseur ! Ou bien… celles d'Avallorix lui-même ? Après tout, c'est lui qui sait le mieux où Probus cache ses biens les plus précieux…

Le lendemain matin, le coq n'a pas encore chanté que la villa se réveille dans les cris. Onnogenos et Galatéa, qui dormaient dans leur chariot, se précipitent vers la demeure du sénateur. Esclaves, affranchis, régisseur et épouse, tout le monde se retrouve dans la chambre de Probus !

Dans la lumière d'une puissante lampe à huile, le sénateur trépigne, debout sur son lit :

trépigner :
taper des pieds
par terre avec colère

– C'est intolérable ! Le voleur est revenu pendant mon sommeil ! Encore une fois, il a osé pénétrer dans ma chambre !

Tout pâle, Avallorix demande :

– Que t'a-t-on pris ?

– Deux perles magnifiques que je destinais à ma femme pour son anniversaire.

– Où étaient-elles rangées ?

– Dans ce petit coffret en bois. Et regardez
ce que j'ai trouvé à la place !
Il présente à la vue de tous le coffret
ouvert. Dedans, il y a… un trognon de
pomme !

s'affaisser :
fléchir, se dérober

bafouiller :
bredouiller, parler
de façon confuse

Avallorix pousse un cri. Persuadé d'être accusé par le voleur, il sent ses jambes s'affaisser sous lui. Il est obligé de s'asseoir sur un siège.

– Que t'arrive-t-il encore ? demande Probus, mécontent.

– Euh… bafouille le régisseur. Je me suis levé trop vite, ce matin…

Le sénateur ne parle que le latin. Et personne n'ose lui expliquer qu'en gaulois Avallorix signifie « roi des pommes ».

Sans perdre de temps, Onnogenos s'accroupit devant le seuil de la porte. Hélas ! Des dizaines de pieds ont piétiné l'argile, effaçant les traces du voleur !

– Qui est entré le premier dans cette pièce ? demande Onnogenos d'une voix forte.

Sabina s'avance.

– Moi. Ma chambre est juste à côté. J'ai été la première à entendre les cris de mon mari. Je me suis précipitée.

– Lorsque tu es entrée, as-tu fait attention aux traces de pas dans l'argile ? C'était les empreintes du voleur !

– Ah, voilà ! C'était donc pour ça, cette argile étalée par terre. J'ai été très surprise de sentir quelque chose d'humide sous mes pieds et j'ai regardé ce que c'était. Il n'y avait alors aucune autre trace de pas excepté celles que j'étais en train de faire.

– C'est impossible !

– Je suis certaine de ce que je dis.

Le troisième rêve de Probus

Le voleur n'est donc pas entré par la porte. Stupéfait, Onnogenos se tourne vers les deux fenêtres de la chambre. Les épais volets de bois sont fermés de l'intérieur par un solide crochet en métal. Il n'y a ni cheminée ni deuxième porte.

– Sénateur Probus, demande-t-il, y aurait-il un souterrain qui partirait de ta chambre ? Le sénateur secoue la tête. Son régisseur le confirme :

– J'ai supervisé moi-même tous les travaux. Je peux assurer qu'il n'existe aucun passage secret !

Quel mystère ! Par où le voleur est-il donc passé ?

Timidement, la jeune Galatéa s'approche du sénateur.

– Sénateur Probus, as-tu encore rêvé d'un dieu, cette nuit ?

Le visage de Probus s'éclaire.

– Tu as raison, petite ! Heureusement que les dieux veillent sur moi pendant mon sommeil ! Effectivement, j'ai rêvé d'Hermès.

superviser : contrôler la qualité d'un travail

72

D'un pas décidé, Galatéa se dirige vers l'autel consacré aux dieux, au fond de la pièce. Elle soulève la statuette creuse d'Hermès. Deux billes pleines d'éclat roulent sur la table. Galatéa les présente au sénateur :

– Est-ce que ce sont tes perles, sénateur Probus ?

– Mais oui ! Incroyable…

Il ajoute avec fierté :

– Une fois encore, les dieux m'ont protégé !

Onnogenos s'avance.

– Quel voleur aurait pu entrer sans laisser d'empreintes de pas dans l'argile ? Je pense plutôt, sénateur Probus, que tu as un sommeil agité. Chaque nuit, tu rêves qu'un voleur te menace et que tu caches l'un de tes trésors. Sénateur Probus, tu es somnambule !

somnambule : qui se déplace ou agit pendant son sommeil et qui ne se souvient de rien à son réveil

Un murmure parcourt l'assemblée.

Onnogenos continue :

– C'est toi qui emporte l'objet, tout en dormant, pour le mettre en sécurité ! Dans un lieu que tu penses protégé par les dieux : le foyer pour Vulcain, le lit de ton épouse pour Junon, cette statuette pour Hermès.

Probus fronce les sourcils. Tout le monde se tait. L'artisan est bien courageux de parler aussi honnêtement au sénateur !

Celui-ci risque de se trouver ridicule parce qu'il a accusé un voleur qui n'existait pas.

vexer :
blesser quelqu'un dans son amour-propre

Or, n'est-il pas dangereux de vexer un personnage aussi important qu'un sénateur romain ?

Toute l'assemblée regarde Probus qui, lui, fixe longuement Onnogenos et Galatéa.

– Hier soir, dit-il enfin, l'air pensif, je suis allé me coucher en croquant une pomme… Je ne me souviens plus des détails de mon rêve. Mais peut-être qu'Hermès, le dieu des voleurs, a voulu me jouer un bon tour : il m'a suggéré de laisser le trognon à la place des perles !

Soulagée, toute l'assemblée éclate de rire.
Heureusement, il a de l'humour, le sénateur
Probus !
– Galatéa, tu as retrouvé mes perles, ajoute
le sénateur. Et toi, Onnogenos, tu as résolu
cette énigme. Alors, je jure par Hermès,
Junon et Vulcain, mes dieux préférés, que
cette villa sera la mieux décorée en
céramiques gauloises de toute la Gaule
aquitaine !

une énigme :
une chose ou un
événement difficile
à comprendre

Sophie Marvaud

Le grand amour de Maximus

Illustré par Sylvie Serprix

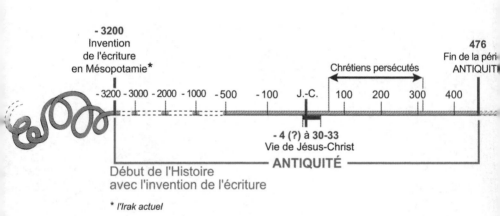

- 3200
Invention
de l'écriture
en Mésopotamie*

Chrétiens persécutés

476
Fin de la péri
ANTIQUIT

- 3200 - 3000 - 2000 - 1000 - 500   - 100   J.-C.   100   200   300   400

- 4 (?) à 30-33
Vie de Jésus-Christ

—————————— **ANTIQUITÉ** ——————————

Début de l'Histoire
avec l'invention de l'écriture

* l'Irak actuel

Une étrange jeune fille

Ce matin, sur le forum de Lugdunum, on vend une marchandise très spéciale. Au milieu des boutiques de vanneries et de verreries, entre les étals de fruits et ceux de charcuterie, se trouve un marchand d'esclaves ! Un jeune homme blond contemple avec étonnement les hommes, les femmes, et même les enfants, qui sont présentés sur une estrade. Il remarque leurs vêtements bariolés, leur teint mat, leurs cheveux longs.

le forum :
la place du marché et des assemblées dans une ville de l'antiquité

Lugdunum :
nom latin de la ville de Lyon

des vanneries :
des objets tressés fabriqués en osier

bariolé :
de toutes les couleurs

une légion :
une troupe de
soldats composée
de 6 000 hommes
à l'époque de César

l'Asie Mineure :
nom donné dans
l'Antiquité à l'actuelle
Turquie

une toge :
vêtement ample des
Romains porté par-
dessus une tunique

le frontispice :
la façade

**Jupiter, Mars,
Mercure :**
dieux romains :
Jupiter est le père
des dieux et le
maître du ciel, Mars
est le dieu de la
guerre et Mercure
celui des marchands

– D'où viennent-ils ? demande-t-il au marchand.

– Je les ai achetés à une légion qui rentrait d'Asie Mineure, à l'autre bout de la Méditerranée. Il y a eu des soulèvements, là-bas.

L'air pressé, un homme en toge tente de se frayer un chemin parmi les curieux. Le marchand l'aperçoit et l'aide à grimper sur l'estrade.

– Merci ! dit l'homme essoufflé. J'ai besoin d'esclaves pour mon maître, Julius Marcus Antonius...

– Que recherches-tu exactement ?

Soudain, le jeune homme blond remarque l'une des prisonnières. Accroupie, elle dessine sur le plancher de l'estrade, à l'aide d'une petite pierre de calcaire. Il s'approche et se penche sur le dessin. Avec quelques traits assez sûrs, la jeune fille a reproduit le temple qui se trouve en face d'eux : le large escalier, les colonnes rondes, le frontispice. Mais à la place des statues de Jupiter, Mars et Mercure, posées au sommet du temple, elle a dessiné... un énorme poisson !

Le jeune homme éclate de rire. Levant la tête, elle lui sourit.

– Bonjour.

Il la regarde, stupéfait de son sourire heureux. Autour d'elle, les autres prisonniers ont tous le visage fermé, effrayé ou désespéré.

– Bonjour. Comment t'appelles-tu ?

– Donnia. Et toi ?

Il répond avec fierté :

– Maximus Flavius Onnogenos.

Un instant, il se demande si elle n'est pas la fille du marchand plutôt qu'une esclave. Mais non ! Ses chevilles sont bien enfermées dans des attaches en métal.

– Onnogenos, c'est un nom gaulois ?

– Oui. Mes parents m'ont donné pour troisième nom celui de mon grand-père maternel. C'était un petit artisan gaulois d'Aquitaine. S'il nous voyait aujourd'hui ! L'atelier familial est devenu une véritable usine. Et nous vendons nos céramiques dans tout l'Empire romain !

Mais… Pourquoi est-ce que je raconte ma vie à cette fille inconnue ? se demande Maximus.

Troublé, il relève la tête et s'écarte. Il ne doit pas oublier que son travail l'attend ! Sans la saluer, il s'éloigne lentement au milieu de la foule.

Parvenu à l'autre bout du forum, il prend une décision. Cette fois, il bouscule les passants pour revenir plus vite jusqu'à l'estrade ! Il se précipite vers le marchand.

– Combien tu demandes pour cette fille là-bas ? L'atelier pour lequel je travaille a besoin de gens qui savent dessiner comme elle.

L'homme hausse les épaules.

– Tu t'y prends trop tard ! Je viens de vendre tout le groupe à Julius Marcus Antonius.

Un magistrat très apprécié

Furieux contre lui-même, Maximus essaie de chasser la jeune fille de ses pensées. D'un pas déterminé, il entre dans une première boutique.

– Bonjour ! Je viens d'arriver à Lugdunum avec un bateau plein de superbes céramiques sigillées ! Veux-tu les voir ?

Le propriétaire de la boutique accepte de le suivre jusqu'au port. Maximus lui vend une partie de son chargement, puis se rend chez d'autres commerçants.

La journée passe comme un éclair. En milieu d'après-midi, il a vendu une bonne partie de sa cargaison. Demain, il pourra repartir vers une autre ville plus au sud, au bord du Rhône.

Pour l'instant, il se sent sale et fatigué. Et s'il allait aux thermes ? Pour se détendre, il ne connaît rien de meilleur !

Après avoir demandé son chemin, il pénètre sur une esplanade entourée de colonnades. Là, il rejoint des hommes qui font quelques mouvements de gymnastique.

des céramiques sigillées : des objets de terre cuite utilisés comme récipients et décorés de marques et de poinçons

une cargaison : un chargement de marchandises

les thermes : établissement de bains publics

Dès que ses muscles sont échauffés,
Maximus entre dans le vestiaire. Il se
déshabille et se frotte tout le corps d'huile
bien grasse. Puis il passe dans la salle
tiède. Quel brouhaha !

Un esclave se précipite vers lui.

– Maître, je te nettoie la peau ? C'est seulement trois sesterces !

– D'accord.

Maximus s'allonge sur une banquette. Lentement, l'esclave Crassus lui racle la peau avec des spatules, depuis les pieds jusqu'à la nuque. Ça gratouille !

– Par hasard, demande le jeune homme, aurais-tu entendu parler de Julius Marcus Antonius ?

L'esclave émet un petit gloussement.

– Tu n'es pas de Lugdunum, toi ! En ce moment, c'est le magistrat le plus populaire de la ville !

– Ah bon ! Et pourquoi ?

Les yeux de Crassus pétillent de plaisir.

– Demain après-midi, il offre des jeux du cirque ! Avec des combats de gladiateurs et des chasses d'animaux africains !

Cachant sa bouche derrière sa main, l'esclave chuchote :

– On dit qu'il veut flatter les envoyés de l'empereur… Il espère faire carrière au sénat, à Rome !

un sesterce :
une pièce de monnaie romaine

une spatule :
un instrument en forme de petite pelle aplatie

un gloussement :
un petit rire étouffé

pétiller :
briller

un gladiateur :
un homme qui combattait lors des jeux du cirque à Rome

le sénat :
assemblée politique composée des chefs des grandes familles romaines

Pendant un moment, Maximus rumine cette information. Puis il décide de passer dans la salle chaude, qui est aussi terriblement humide ! Dès qu'il y a mis le pied, il sent son corps transpirer à grosses gouttes. Il entre dans le bassin pour nager un peu, mais l'eau est si chaude qu'il n'a pas envie d'y rester longtemps.

Lorsqu'il commence à se sentir tout engourdi, il revient dans la salle tiède. Crassus l'attend.

– Veux-tu un massage, maître ? Quatre sesterces, c'est vraiment pas cher !

– Volontiers.

L'esclave a des mains habiles. Et le corps de Maximus est tout léger d'être sorti de la salle chaude.

– Tiens ! s'exclame soudain Crassus. C'est toi qui étais intéressé par Julius Marcus Antonius ? Je viens de le voir passer…

Maximus se redresse aussitôt.

– Tu l'as vu passer où ?

– Un renseignement, c'est un sesterce, maître !

Le jeune homme lui lance une pièce.

ruminer :
tourner et retourner une même idée dans sa tête

87

– Il vient d'entrer dans la salle froide, dit Crassus.

– À quoi ressemble-t-il ?

– À un magistrat très apprécié… qui ne bouge jamais le petit doigt et qui mange trop !

Changement d'identité

Éclairée par de grandes fenêtres, et sans vapeur d'eau, la salle froide paraît merveilleusement reposante à Maximus. Dès qu'il y met les pieds, il comprend ce que Crassus a voulu dire.

Au milieu du grand bassin, un homme obèse est assis dans l'eau peu profonde.

Plusieurs esclaves chassent les mouches qui osent s'approcher de lui. Mais ils ne chassent pas la nuée de baigneurs qui l'entourent !

Certains le complimentent pour sa bonne mine, espérant conquérir son amitié. D'autres lui racontent leurs malheurs pour l'apitoyer, avant de lui demander un service.

Maximus s'approche en nageant et ouvre grand ses oreilles aux conversations.

– Ohé, Julius ! appelle un homme.

Le magistrat se retourne : enfin, un véritable ami et non un courtisan !

– Ah, mon cher Sabinus ! Comment vas-tu ?

– Très bien. Puis-je te présenter mon neveu Flavius ? Il vient de Massalia.

Massalia : nom de la ville de Marseille dans l'Antiquité

– Bien sûr. Amène-le ce soir au banquet que je donne chez moi.

L'homme s'incline et s'éloigne, suivi du neveu, un jeune homme blond et mince.

Tiens, tiens… pense Maximus. La chance est de mon côté !

s'éclipser : disparaître rapidement

les latrines : les toilettes

Un peu plus tard, Flavius s'éclipse pour se rendre aux latrines, une salle carrée prévue pour une dizaine de personnes. C'est un lieu très apprécié pour les bavardages !

Maximus le suit et s'installe sur le siège voisin. Il se tourne vers Flavius.

– Tout à l'heure, j'ai entendu que tu irais ce soir au banquet que donne Julius. Moi aussi, j'y suis invité !

Flavius semble ravi :

– J'avais peur qu'il n'y ait personne de mon âge !

Maximus baisse la voix.

– Hum… En fait, j'ai décidé de ne pas y aller ! Ce matin, j'ai demandé à un prêtre de lire pour moi dans les entrailles d'un taureau. Les dieux m'ont averti : ce soir, chez Julius, il y aura un empoisonnement !

– Oh ! s'exclame Flavius. Dans ce cas, je n'irai pas non plus ! Quelle chance de t'avoir rencontré !

– Surtout, garde-le pour toi ! Je ne veux pas me faire mal voir de Julius.

– Promis ! Je dirais à mon oncle que je suis malade…

À la tombée de la nuit, Maximus se présente au domicile du magistrat. Pour se déguiser en jeune patricien, il a remplacé sa tunique par une toge et mis tous ses bijoux.

lire dans les entrailles : observer les viscères d'un animal pour prédire l'avenir

un patricien : un homme qui appartenait à la plus haute classe sociale à Rome

– Je suis Flavius, le neveu de Sabinus.

– Entre, dit le portier. Tu es attendu.

Un esclave conduit Maximus à travers les pièces jusqu'à une immense salle à manger d'été. Puis il lui indique sa place, sur un lit large où sont déjà installés deux invités. Maximus s'allonge comme eux sur le côté gauche.

se donner une contenance : prendre une attitude qui montre que l'on se sent à l'aise

Pour se donner une contenance, il pioche dans les gourmandises salées qui sont exposées sur une petite table. Mais ses deux voisins semblent trop occupés à discuter politique pour faire attention à lui. Bien qu'ouverte sur le ciel étoilé, la salle est éclairée par de nombreuses lampes à l'huile. Au centre, une fontaine projette un jet d'eau sur un bassin de marbre. Sous les colonnades, des orangers en pots alternent avec de grandes volières où chantent des oiseaux exotiques.

une volière : une grande cage dans laquelle des oiseaux peuvent voler

Des esclaves circulent entre les lits, proposant nourriture et boissons.

Maximus dévisage chacun avec inquiétude : pourquoi Donnia n'est-elle pas parmi eux ?

Ce qu'il n'avait pas imaginé

un convive :
une personne
qui prend part
à un repas

Les convives parlent de plus en plus fort. Au centre de la salle, Julius frappe des mains pour réclamer le silence.

– Mes amis ! Demain après-midi, vous le savez, j'ai commandé des jeux où toute la ville est conviée ! Ces festivités se dérouleront en l'honneur de notre empereur, le grand Néron, et de son prédécesseur, le divin Claudius. C'est grâce à lui que des Gaulois comme moi, qui servent fidèlement l'Empire romain, peuvent devenir sénateurs !

Néron :
cruel empereur
romain (37 - 68)

Claudius :
empereur romain,
père adoptif de
Néron
*(10 av. J.-C. –
54 ap. J.-C.)*

– Vive Claudius ! crie quelqu'un.

– Vive Néron ! lui répond un autre.

Des musiciens commencent à jouer sur leurs flûtes et leurs lyres. Des danseuses virevoltent entre les lits, s'accompagnant de tambourins.

virevolter :
tourner
sur soi-même

Un instant, Maximus se laisse étourdir par la musique et le charme des jeunes filles. Depuis quelque temps, il trouve que toutes les filles sont belles ! Après tout, cette Donnia n'est peut-être pas si spéciale…

Soudain, un joli visage à la peau couleur de miel se penche vers lui, sans cesser de danser. Il sursaute, très ému.

– Donnia ?

La jeune fille hoche la tête. Il s'aperçoit alors qu'il avait complètement oublié à quoi elle ressemblait ! Mais il la reconnaît à son sourire franc et incroyablement heureux, qui le touche au plus profond de son cœur.

– Tu es danseuse ?

– J'ai appris à danser chez mon ancien maître, à Antioche.

– Oh !

Antioche :
ville antique située autrefois dans l'actuelle Turquie

Elle est si gracieuse qu'il n'avait pu s'empêcher d'imaginer qu'elle n'était pas née esclave. Elle aurait pu être une princesse barbare capturée par les soldats romains !

un barbare :
un étranger pour les Grecs et les Romains

– Ta vie n'a jamais été facile, murmure-t-il, apitoyé.

Elle hoche la tête :

– Si je contrarie mon maître, je risque des coups de fouet, ou même la mort.

– Alors, pourquoi souris-tu ? C'est lui qui t'y oblige ? En plus de savoir dessiner et danser,

simuler :
faire semblant

es-tu aussi une excellente comédienne pour simuler ainsi le bonheur ?

Donnia s'éloigne, le temps d'une danse parmi les autres jeunes filles. Dès qu'elle le peut, elle revient vers lui.

– Je ne fais pas semblant. Je suis réellement heureuse. J'ai rencontré l'amour de Dieu !

Un rendez-vous inquiétant

se renfrogner :
montrer
sa mauvaise
humeur, s'assombrir

Maximus se renfrogne. Bien qu'il ne comprenne pas les paroles de la jeune fille, le mot « amour » l'a rendu jaloux.

Les danseuses se regroupent. L'une d'elles fait un signe à Donnia.

– On m'appelle ! dit-elle au jeune homme. Je dois y aller.

Il lui attrape le poignet.

– Comment puis-je te revoir ?

Elle le regarde droit dans les yeux.

– Viens juste avant l'aube, à l'entrée du cimetière de Lugdunum.

En voilà un endroit bizarre pour un rendez-vous amoureux ! Veut-elle lui tendre un piège avec des amis ? Est-elle intéressée par sa bourse bien garnie ? Il n'a pas le temps de l'interroger. Elle quitte la pièce avec les autres danseuses.

Son voisin de lit se tourne vers lui, après avoir jeté par terre l'os d'une cuisse de poulet. Le sol commence à être jonché de restes de nourriture.

– Ah, ah !... elle te plaît, cette petite danseuse ! Je reconnais qu'elle est charmante !

Maximus rougit.

– Méfie-toi quand même ! ajoute l'homme. Et si c'était une chrétienne ?

Le jeune homme le regarde avec des yeux ronds. Pendant ses voyages, il a vaguement entendu parler de cette nouvelle religion, qui, comme beaucoup d'autres, vient d'Orient. L'homme insiste :

vaguement :
de façon imprécise

– Sais-tu que les chrétiens ont déclenché un terrible incendie à Rome ? En représailles, l'empereur Néron a ordonné le massacre de tous les chrétiens de la ville !

en représailles :
par vengeance

Le troisième homme du lit se retourne à

imbibé de boisson :
complètement soûl

son tour. Imbibé de boisson, il croit chuchoter à l'oreille de son compagnon, mais Maximus ne perd aucune de ses paroles.

– Ne sois pas naïf ! C'est Néron lui-même qui a mis le feu à Rome ! Il paraît qu'il aime ce genre de spectacle. Simplement, c'était bien pratique d'accuser les chrétiens ! Tu sais que le peuple ne les aime pas.

Maximus fronce les sourcils. Les Romains sont tolérants envers les religions les plus bizarres. Pourquoi pas celle-là ?

De toute façon, il ne peut imaginer Donnia en train de mettre le feu à Lugdunum ! Ni même de lui tendre un piège pour lui voler sa bourse. Chrétienne ou pas, cette fille a quelque chose dans le regard qui lui inspire confiance...

Un dieu vraiment curieux

Le cimetière de Lugdunum se trouve un peu en dehors de la ville. En sortant de chez le magistrat Julius, Maximus a préféré s'y rendre tout de suite. Le lendemain, il risquerait de ne pas se réveiller à temps.

À la lumière de la lune, il repère un temple miniature. Il s'y abrite et sombre aussitôt dans un sommeil de plomb.

sombrer : s'enfoncer

Un chant très doux réveille le jeune homme. Il saute sur ses pieds. Les premières lueurs de l'aube viennent caresser les tombes et les arbres. Où est Donnia ?

Suivant les voix, il s'avance dans le cimetière. Puis il descend à l'intérieur d'un caveau. Un couloir s'enfonce sous la terre avec, de chaque côté, posés les uns au-dessus des autres, des cercueils.

un caveau : une construction souterraine abritant le tombeau de plusieurs personnes

Le chant s'arrête. Maximus a très envie de faire demi-tour. Être ainsi entouré de cadavres est assez désagréable ! Mais la curiosité et l'envie de revoir Donnia sont les plus fortes.

Le couloir débouche dans une petite salle souterraine. Une dizaine de personnes entourent un homme âgé qui parle d'une voix forte :

– Aux yeux de Dieu, il n'y a plus ni esclave ni homme libre… Ni homme ni femme…

interloqué :
stupéfait

Maximus est complètement interloqué. Qu'y a-t-il de plus différent au monde qu'un homme et une femme ? Qu'un homme libre et un esclave ? Ce dieu-là mélange tout ! Décidément, ces religions qui viennent d'ailleurs sont très bizarres… La lecture terminée, le vieil homme prend une miche de pain.

**une miche
(de pain) :**
un gros pain rond

– Mes frères, rappelons-nous le dernier repas du Christ…

Il prononce d'autres paroles mystérieuses. Puis il partage le pain entre toutes les personnes présentes. Il fait de même avec une cruche de vin, qui passe de main en main.

Les participants à cette étrange cérémonie s'embrassent puis, en chantant, sortent de la salle. Au passage, Donnia reconnaît Maximus.

– Tu es là ! Je croyais que tu avais renoncé à venir !

– Eh bien non, tu vois ! Mais je n'ai rien compris à ce que j'ai vu !

– Viens dehors. Je vais t'expliquer.

Ils s'assoient sous un cyprès. L'endroit est tranquille, le soleil tiède, et l'air empli du chant des oiseaux. Malgré ses traits tirés, Donnia n'a pas perdu son regard franc et heureux.

– Je crois qu'il existe un seul Dieu, dit-elle. Son fils Jésus, que nous appelons le Christ, est venu sur terre pour nous annoncer une bonne nouvelle : nous sommes tous aimés de Dieu.

Elle lui sourit, radieuse :

– Tu te rends compte ! Même moi, une petite esclave sans famille, Dieu m'aime et prend soin de moi ! À ses yeux, nous avons tous la même valeur !

Maximus se rebiffe :

un cyprès :
une variété de conifères (pin, sapin...) très élancé, fréquent en Italie

(avoir) les traits tirés :
être fatigué

radieux :
rayonnant de joie

se rebiffer :
refuser d'être d'accord

– Dans la loi romaine, les hommes libres n'ont pas du tout les mêmes droits que les esclaves ! Et les femmes n'ont pas du tout les mêmes droits que les hommes. Il y a sûrement une raison à cela ! Des différences plus ou moins cachées… As-tu remarqué comme la plupart des esclaves sont costauds, beaucoup plus que leurs maîtres ?

Elle rit gentiment :

– Pour toi, c'est plus simple de penser ça, parce que tu es libre, et que tu es un homme ! Moi, je crois que tous les humains ressusciteront après leur mort, comme Jésus. Toi aussi, Maximus !

ressusciter : renaître

– Ah oui ! Et il veut quoi, en échange, ton dieu ? se moque-t-il.

– Nous devons essayer d'aimer les autres autant que nous-mêmes.

Maximus fait la grimace. S'il commence à faire attention aux autres autant qu'à lui-même, sa vie va être effroyablement compliquée ! Cette fille est sûrement un peu dérangée. Quel dommage !

– Tu es donc bien une chrétienne, dit-il avec tristesse.

103

Une nouvelle attraction

Vers midi, toutes les céramiques vendues ont été déchargées du bateau. Il est temps pour Maximus de continuer son voyage sur le Rhône.

Debout sur le pont, il hésite à donner l'ordre du départ. Il pense à Donnia, retournée chez le magistrat Julius. Il ne la reverra sans doute jamais.

L'un de ses marins s'approche, la voix suppliante.

– Maître, cet après-midi, des jeux du cirque sont donnés dans l'amphithéâtre de Lugdunum ! Il paraît que ce genre de spectacle vaut le détour ! En plus, c'est gratuit ! Oh, maître ! Tous ici, on rêve de voir ça une fois dans notre vie…

– Excellente idée ! répond Maximus, au grand étonnement du marin. Vous avez quartier libre jusqu'à ce soir. Mais nous lèverons l'ancre tout de suite après les jeux. Surtout, ne traînez pas !

un amphithéâtre :
dans l'Antiquité, édifice de forme circulaire comprenant une arène où se déroulent les combats de gladiateurs

avoir quartier libre :
être autorisé à quitter le navire

Voir des gladiateurs combattre, ça va sûrement l'aider à oublier Donnia !
Maximus rejoint la foule qui ne cesse de grossir jusque devant l'amphithéâtre, un gigantesque bâtiment de pierre. Il franchit l'une des arcades, piétine à l'intérieur d'un couloir éclairé par des torches, et enfin arrive dans les gradins.

une arcade : une ouverture en forme d'arc

les gradins : bancs disposés en étage autour de l'arène

105

Il trouve une bonne place dans les premiers rangs, avec le soleil dans le dos. Des marchands ambulants circulent entre les gradins. Il en profite pour s'acheter une grosse miche de pain, un saucisson, et une petite amphore de vin léger.

Depuis sa loge privée, le magistrat Julius donne le signal du début des jeux. Afin de placer les festivités sous la protection des dieux, des prêtres égorgent plusieurs animaux.

égorger :
tuer en tranchant la gorge

En voyant tout ce sang couler, Maximus repense à la cérémonie religieuse des chrétiens, ce matin. Comme elle était pacifique et émouvante en comparaison ! Brusquement, il comprend Donnia. Non, elle n'a rien d'une folle ! S'il était à la place de la jeune esclave, lui aussi serait attiré par cette religion d'amour et d'espoir.

émouvant :
bouleversant

un sacrifice :
une offrande faite aux dieux consistant, généralement, à mettre à mort un animal

une arène :
une grande piste de sable au centre de l'amphithéâtre où se déroulent les combats

Les sacrifices terminés, Julius annonce le début du spectacle. Dans l'arène, on lâche des éléphants, des crocodiles, des hippopotames et des lions. Quels animaux surprenants !

Autour de Maximus, les gens gesticulent, s'exclament, poussent des cris de surprise et de joie.

– Des chasseurs vont venir les combattre sous nos yeux ! s'enthousiasme un habitué.

Cependant, ce ne sont pas des chasseurs qui entrent à cet instant, mais un petit groupe d'hommes et de femmes sans armes ni protections.

– Que se passe-t-il ? demande quelqu'un.

La nouvelle fait le tour de l'amphithéâtre :

– Ces chrétiens ont refusé de participer au culte de l'empereur ! Par trois fois, aujourd'hui, le magistrat les a menacés de supplice. Par trois fois, ils ont dit qu'ils croyaient en un seul dieu ! Julius est bien obligé de mettre ses menaces à exécution !

le culte :
l'hommage que l'on rend d'ordinaire à un dieu

Dans l'arène

Maximus laisse tomber son amphore qui se brise à ses pieds. Au milieu du petit groupe de chrétiens, il a reconnu Donnia !

Il se lève. Il a une envie folle de courir supplier Julius.

– Cette jeune fille est pleine de douceur et de bonté ! s'écrie-t-il. Elle n'est pas du tout dangereuse pour Rome !

Sa voisine le regarde de travers.

– Bien sûr que les chrétiens sont dangereux pour Rome ! Puisqu'ils ne reconnaissent pas la divinité de notre empereur, ils ne lui obéiront jamais au doigt et à l'œil !

au doigt et à l'œil : sans discuter

Livide, Maximus retombe sur son siège. Cette femme a raison ! Jusque-là, Rome avait accepté n'importe quelle nouvelle religion, du moment que ses dieux venaient s'ajouter aux dieux romains. Mais les chrétiens ne veulent reconnaître qu'un seul dieu : le leur !

– Imaginez un peu, poursuit sa voisine. Si un jour, ils devenaient majoritaires… Ce serait peut-être la fin de l'Empire romain ! Dans l'arène, les lions et les crocodiles ont commencé leur repas humain. Tête baissée pour ne pas voir cet horrible spectacle, Maximus remonte dans les gradins en direction de la sortie.

une clameur : l'ensemble des cris poussés par une foule

Une clameur lui fait tourner la tête.

Une jeune fille a été épargnée par les bêtes !
À genoux dans la poussière rouge, elle
continue de prier son dieu.

être épargné :
avoir la vie sauve

111

Le cœur de Maximus ne fait qu'un bond. C'est Donnia !

Ne voulant pas de temps mort dans son spectacle, Julius demande qu'on fasse entrer les gladiateurs. Certains sont armés de tridents, d'autres d'épées. D'autres encore n'ont qu'un filet de pêcheur pour se défendre. La variété des équipements promet des combats passionnants !

À toute hâte, Maximus suit le couloir dans l'amphithéâtre, puis contourne le bâtiment. Il finit par trouver l'entrée des coulisses. La ville entière étant assise dans les gradins, la grille a été laissée entrouverte. Prenant son courage à deux mains, il se faufile à l'intérieur.

Dans l'arène, un gladiateur a été grièvement blessé. Comme il s'est bien battu, le public lève le pouce pour demander sa grâce.

Couvert de sang, l'homme est ramené dans les coulisses. Puis il est laissé seul par les gardes, qui ne veulent pas perdre une miette du spectacle !

Assez maladroitement, Maximus saisit le poignard du blessé. Le marchand de

un trident :
une fourche à trois dents

à toute hâte :
précipitamment

les coulisses :
la partie de l'amphithéâtre cachée au public

se faufiler :
se glisser

la grâce :
le pardon accordé à quelqu'un qui est condamné à mort

céramiques n'a pas l'habitude de se battre. Deux fois, son bateau a été attaqué par des brigands. Les marins ont gagné, mais uniquement parce qu'ils étaient plus nombreux !

Tant pis ! Maximus veut tenter sa chance. Au moins, il aura la surprise de son côté. Donnia n'est pas seulement une jeune fille originale et intéressante… Maintenant, il en a la certitude : il l'aime plus que tout !

Pour sauver Donnia

Faisant quelques pas dans l'arène, le jeune homme est saisi par les rugissements des animaux, les cris et les râles des humains. Au centre, Donnia gît dans la poussière, évanouie. Autour d'elle, certains gladiateurs se battent en duel, d'autres attaquent les lions ou les crocodiles.

Tout près de Maximus, un éléphant barrit, inquiet de l'odeur de mort qui flotte

un râle :
la respiration
rauque d'un
mourant

gît :
est étendu(e) par
terre (verbe *gésir*)

barrir :
pousser un cri
pour un éléphant

113

le jarret :
la partie de la
jambe située
derrière le genou

un tumulte :
un vacarme

un glaive :
une courte épée à
deux tranchants

partout. Le jeune homme s'élance et lui plante son épée dans le jarret ! Puis il se met à courir en direction des combattants. Fou de rage, l'énorme animal veut le charger. Mais il est ralenti par sa blessure. Maximus a le temps de contourner un groupe de gladiateurs. L'éléphant fonce dans le tas ! Cela déclenche une énorme pagaille, qui met en joie les spectateurs.

Profitant du tumulte et de la poussière, Maximus se précipite vers Donnia. Il la prend dans ses bras. Comme elle est légère ! Il court vers les coulisses.

Devant l'entrée, trois gardes sortent leurs glaives pour l'arrêter. Le jeune homme recule, jusqu'à l'éléphant blessé qui reprend son souffle. Tout en maintenant d'un bras la jeune fille contre lui, il s'accroche de sa main libre à la queue de l'animal !

L'éléphant croit qu'un piège lui a mordu la queue. Pour s'en libérer, il fonce en avant en direction des gardes ! Ceux-ci s'enfuient. Lorsque l'éléphant fait demi-tour, Maximus lâche sa queue et fonce dans les coulisses !

Comme un fou, il court à travers les rues de Lugdunum, Donnia toujours dans ses bras. Heureusement, les rues sont complètement désertes !
Une fois dans son bateau, il se sent un peu mieux. Après avoir vérifié que la jeune fille n'est pas blessée, il la laisse à l'abri dans la cale.

la cale :
la partie d'un bateau située sous le pont

115

une amarre :
un cordage
retenant un navire
dans le port

Sur le pont, il s'active, remontant l'amarre, déployant la voile. Le vent chahute l'embarcation, encore retenue à quai par une grosse corde. Pourvu que ses marins ne tardent pas trop !

De loin, de nouvelles clameurs sortent de l'amphithéâtre. Les combats doivent continuer...

Puis le soir commence à tomber. Sur le quai, les gens commencent à revenir du spectacle. Mais pas les marins de Maximus ! Après toute cette cruauté, peut-être ont-ils eu besoin d'aller boire quelque part ?

Et voilà Donnia qui, les jambes tremblantes, le rejoint sur le pont. Il ne faudrait pas que des passants la reconnaissent !

une escale :
arrêt d'un navire
au cours d'un
voyage

– Tant pis pour les retardataires ! se dit Maximus. À notre prochaine escale, j'embaucherai d'autres marins.

la barre :
la commande
du gouvernail
qui permet de
diriger un navire

Avec le poignard du gladiateur, il tranche la corde qui retient le bateau. L'embarcation s'élance, portée par le vent et le courant.

Maximus s'installe à la barre, Donnia assise auprès de lui.

– J'ai cru aller au paradis, dit-elle.

– Tu iras un jour, ne t'inquiète pas ! Mais rien ne presse. Si ton dieu t'aime comme tu le dis, il est comme moi. Il te préfère vivante et heureuse !

Elle se serre contre lui. Le soleil couchant teinte de rose la voile du bateau, ainsi que les joues du jeune homme.

– Veux-tu être ma femme ?

– Oh oui, Maximus ! Et pour l'éternité !

117

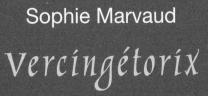

Sophie Marvaud

Vercingétorix

Illustré par Isabelle Calin

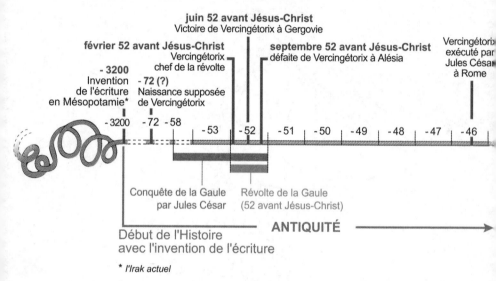

juin 52 avant Jésus-Christ
Victoire de Vercingétorix à Gergovie

février 52 avant Jésus-Christ
Vercingétorix
chef de la révolte

septembre 52 avant Jésus-Christ
défaite de Vercingétorix à Alésia

Vercingétorix
exécuté par
Jules César
à Rome

- 3200
Invention
de l'écriture
en Mésopotamie*

- 72 (?)
Naissance supposée
de Vercingétorix

- 3200   - 72 - 58   - 53   - 52   - 51   - 50   - 49   - 48   - 47   - 46

Conquête de la Gaule
par Jules César

Révolte de la Gaule
(52 avant Jésus-Christ)

ANTIQUITÉ

Début de l'Histoire
avec l'invention de l'écriture

* l'Irak actuel

L'audace de Celtillos

Ce soir-là, à Gergovie, tous les hommes Arvernes qui comptaient étaient accueillis par leur chef, Celtillos.

Les aristocrates faisaient une entrée fracassante, à cheval, jusque devant le banquet dressé en plein air. Vêtus de braies colorées, forts et de haute taille, ils paraissaient encore plus grands avec leurs cheveux blonds ou roux dressés sur leurs têtes comme des palmiers.

Gergovie :
ancienne capitale des Arvernes située à six kilomètres de Clermont-Ferrand

Arvernes :
peuple gaulois qui occupait l'Auvergne actuelle

un aristocrate :
une personne qui appartient à la communauté dirigeante

des braies :
pantalon ample des Gaulois

un druide :
un prêtre
chez les Gaulois

fluide :
qui coule facilement

une lyre :
un instrument
de musique à cordes
utilisé dans l'Antiquité

un barde :
un poète chanteur
chez les Gaulois

un convive :
personne qui prend
part à un repas

une prestation :
pour un artiste, fait
de se produire en
public

la bonne chère :
un bon repas

Beaucoup plus calmes et réfléchis étaient les hommes qui les suivaient, dans de longues robes blanches, leurs chevelures sur les épaules. Mais tout aussi impressionnants ! Les druides étaient de grands savants. On leur prêtait, en plus, le pouvoir d'influencer les dieux !

Des femmes et des enfants se précipitaient pour servir les chevaliers et les druides de viandes variées délicieuses, de bière et de vin. Une ambiance mystérieuse était créée par la musique fluide et envoûtante des lyres. Les bardes se préparaient à chanter l'époque glorieuse où les Arvernes étaient dirigés par un roi.

Le fils de Celtillos, Vercingétorix, était bien trop jeune pour s'asseoir parmi les convives. Mais pour rien au monde, le garçon n'aurait manqué la prestation des musiciens ! Debout dans l'ombre, il écoutait les exploits de ses ancêtres, le cœur vibrant et l'imagination enflammée.

Une fois ses invités attendris par la bonne chère et par le rappel de leur gloire passée, Celtillos prit la parole.

un vergobret :
magistrat suprême
chez les peuples
gaulois

les Éduens :
peuple de la Gaule
établi entre
la Loire et la Saône

un brouhaha :
un bruit confus

la pénombre :
l'obscurité

– Mes amis, écoutez-moi ! Je suis votre chef parce que vous m'avez élu vergobret ! Tandis que je fais respecter l'ordre dans tout le pays arverne, vous pouvez tranquillement vous enrichir. Mais quelle est l'autorité d'un vergobret, lorsqu'il doit négocier avec le roi des Éduens ? Ou pire, avec un général romain ? Pour maintenir la paix et la prospérité, je dois être respecté autant qu'eux ! J'ai besoin que vous me nommiez roi !

Un brouhaha s'éleva. Un druide s'écria :

– Être élu ne te suffit plus, Celtillos ? Tu veux être plus puissant à toi seul que nous tous ici ?

– Et après toi, ajouta un noble, nos fils devraient obéir à ton fils, sans l'avoir choisi ?

Leur ton menaçant effraya Vercingétorix. Il recula dans la pénombre. Au même instant, parmi les femmes, sa mère se mit à le chercher des yeux.

Dans l'air parfumé, les plats volèrent, les coupes furent renversées. Puis les poignards et les épées furent tirés de leurs fourreaux. Les femmes et les enfants s'enfuirent en criant. Le feu lui-même vacilla, à demi étouffé par les sauces qui lui tombaient dessus.

Monté sur la table, un druide parla avec véhémence.

– L'insolence de Celtillos va courroucer le dieu Taranis !

– À mort, Celtillos ! cria le propre frère du vergobret, Gobannitio.

Vercingétorix voulut se jeter sur lui.

– Non ! Tu n'es qu'un enfant !

Il reconnut la voix de sa mère et sa poigne puissante. Celle-ci l'avait retrouvé juste à temps ! Perdre son époux était un grand malheur, mais en quoi serait-il adouci par la mort de son fils ?

vaciller :
être sur le point de s'éteindre

avec véhémence :
avec violence

courroucer :
mettre en colère

Taranis :
dieu gaulois

Une cachette inattendue

Vercingétorix dut suivre sa mère qui l'entraînait. Dès leur arrivée dans la vaste maison au toit de chaume, elle fit appeler un serviteur, dont elle appréciait l'intelligence et la fidélité.

Dans un balluchon, elle rassembla quelques vêtements chauds pour l'hiver. À chacun des poignets et chacune des chevilles de son fils, elle accrocha un large bracelet d'or massif, qu'elle dissimula à l'aide des braies et de la chemise.

– Vercingétorix, cet or doit te permettre de vivre plusieurs années loin d'ici. Sauve-toi maintenant !

Bouleversés, la mère et le fils s'étreignirent une dernière fois.

Vercingétorix et son serviteur montèrent l'un derrière l'autre sur le plus vaillant de leurs chevaux. Au galop, ils franchirent les portes de la ville et s'enfoncèrent dans la nuit.

la chaume : paille qui sert à réaliser le toit d'une maison

un balluchon : un petit paquet d'effets personnels

s'étreindre : se serrer très fort l'un contre l'autre

Un long voyage commença, plein nord. Vercingétorix ne cessait de demander où ils allaient. Lorsqu'ils eurent quitté le pays arverne, le serviteur accepta enfin de lui répondre :

– En forêt des Carnutes. C'est un lieu sacré où les ennemis de ton père n'oseront pas venir te chercher. Tu vas intégrer un groupe d'enfants auquel les druides donnent leur enseignement.

la forêt des Carnutes : forêt sacrée qui se trouvait près d'Orléans

intégrer : rejoindre

– Mais je veux apprendre à me battre, pas à devenir druide ! Un jour, je serai le roi des Arvernes ! Et je vengerai mon père !

– Pour être un grand chef de guerre, il ne suffit pas d'être fort et courageux. Il faut aussi avoir beaucoup réfléchi et appris beaucoup de choses.

Effectivement, seuls les enfants qui avaient une excellente mémoire pouvaient recevoir l'enseignement des druides. Le fils de Celtillos comprit bientôt pourquoi. Il fallait retenir par cœur des poèmes composés de centaines de vers ! Car il était strictement interdit d'apprendre à lire et à écrire.

Les années passèrent. Le garçon accumula des connaissances précises et variées : sur les plantes qui soignent, la manière de rendre la justice, la géographie de la Gaule, la diplomatie, mais aussi sur la vie après la mort et la renaissance à l'intérieur d'un autre corps. Il ne s'ennuyait pas, mais rongeait son frein. Il avait hâte de devenir un combattant et un chef !

Quelques années plus tard, devenu un ardent jeune homme, Vercingétorix annonça à ses maîtres qu'il les quittait.

– Je n'ai pas le tempérament d'un professeur, d'un diplomate ou d'un religieux… Mais bien d'un guerrier !

– Nous acceptons ta décision, dit l'un des druides. Mais où iras-tu ? Tu ne peux pas reparaître chez les Arvernes. Leur nouveau vergobret est l'un des meurtriers de ton père, ton oncle Gobannitio !

Le maître de la guerre

Au même moment, en Gaule, des événements incroyables se déroulaient. Et les druides, bien informés, en firent le récit à Vercingétorix.

En -58, les Helvètes, las des montagnes et d'un climat rude, avaient décidé d'émigrer tous ensemble en Saintonge ! Ils avaient demandé l'autorisation à deux peuples gaulois, les Éduens et les Séquanes, de traverser leurs territoires pour aller vers l'Ouest.

les Helvètes : peuple gaulois habitant la Suisse actuelle

Saintonge : région recouvrant l'actuelle Charente

les Séquanes : peuple gaulois habitant la région du Jura

Cela signifiait que des milliers et des milliers de personnes allaient se nourrir en pillant les réserves des campagnes traversées ! Personne ne pouvait accepter un tel bouleversement !

piller : voler avec violence

Mais il n'était pas facile de couper la route à un peuple entier, même encombré de femmes et d'enfants. Seule l'armée romaine, qui occupait la région sud de la Gaule, semblait capable d'arrêter les Helvètes ! Les Éduens et les Séquanes demandaient donc la protection du général romain Jules César.

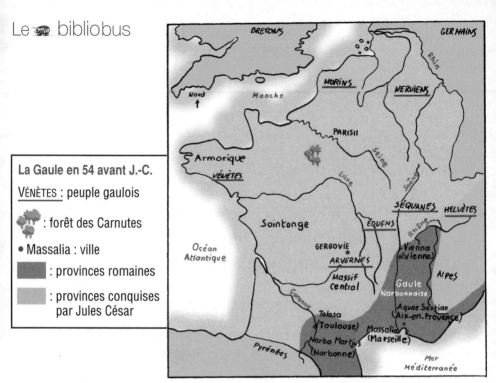

La Gaule en 54 avant J.-C.

VÉNÈTES : peuple gaulois

: forêt des Carnutes

● Massalia : ville

: provinces romaines

: provinces conquises
par Jules César

Vercingétorix fut très intéressé par ces nouvelles transmises par les druides. En quittant la forêt des Carnutes, il réfléchit à voix haute :

– Les Séquanes sont depuis longtemps les alliés de mon peuple, les Arvernes… Et les Romains sont maintenant les alliés des Séquanes… Or, les amis de mes amis sont mes amis !

Dès qu'il eut atteint une ville, il vendit les bijoux donnés autrefois par sa mère. Ainsi put-il s'acheter un cheval, un poignard, une épée, un bouclier, une cotte de mailles à enfiler par-dessus sa chemise… et une dizaine de compagnons, des cavaliers comme lui.

Sa décision était prise. L'art de la guerre, il allait l'apprendre auprès de l'armée la plus puissante du monde. Il allait offrir ses services à Jules César !

Un centurion accepta en effet d'intégrer la petite troupe sous son commandement. Les cavaliers étaient rares, et leur rapidité d'action très utile. Seule difficulté pour les Gaulois : le courage et l'intelligence ne suffisaient pas ; il fallait surtout obéir au doigt et à l'œil au centurion !

L'armée de César était encore plus impressionnante que Vercingétorix ne l'avait imaginée ! Ses neuf légions, de six mille soldats chacune, manœuvraient avec une discipline parfaite. Pour un ennemi, le spectacle était aussi effrayant que s'il avait dû affronter un gigantesque monstre d'acier. La carapace était constituée de milliers de boucliers parfaitement accolés.

un centurion : officier de l'armée romaine qui commande cent soldats

au doigt et à l'œil : immédiatement, sans discuter

une légion : troupe de soldats composée de six mille hommes à l'époque de César

la discipline : l'obéissance parfaite aux règles de conduite

accolé : placé l'un contre l'autre

Et les milliers d'épées se levaient d'un même mouvement pour combattre !

En outre, les légions romaines savaient construire en un temps record des routes pour progresser sur n'importe quel terrain, et des enceintes fortifiées pour se protéger. Parfois, Vercingétorix apercevait de loin la cape rouge et le casque du général, orné d'un panache. Mais ce dernier ne prêtait aucune attention à ce barbare mercenaire au milieu de milliers d'autres !

un panache :
une gerbe de plumes servant d'ornement

un barbare :
un étranger pour les Grecs et les Romains

Les légions romaines volèrent de victoire en victoire. Comme prévu, elles renvoyèrent les Helvètes chez eux. Puis elles repoussèrent au-delà du Rhin les Germains qui, par petits groupes, tentaient régulièrement de s'installer en Gaule. L'année suivante, ce fut le tour de l'armée belge d'être écrasée et de la Bretagne, l'actuelle Angleterre, d'être en partie envahie.

C'en était trop pour Vercingétorix. À l'automne, il rassembla ses compagnons :

– Il est temps de quitter l'armée de César !

l'ambition :
fort désir de gloire et de fortune

Son ambition devient très dangereuse pour les peuples gaulois.

133

L'appel à la révolte

Chaque année, à la fin janvier, plusieurs chefs gaulois se réunissaient dans la forêt des Carnutes pour la plus importante de leurs fêtes religieuses : la cueillette du gui sacré.

– En ce début d'année -53, Vercingétorix se rendit chez ses anciens maîtres pour participer à cette fête. Il renseigna avec précision les druides sur les activités de César. Ceux-ci comprirent que la présence romaine menaçait leur propre pouvoir.

Au cours de la cérémonie, les druides parlèrent avec force de l'affront fait aux dieux par le général romain : il avait osé mettre le pied en Bretagne, terre d'où venait leur religion.

Pendant le banquet qui suivit, le jeune Arverne prit la parole à son tour. Il avait fière allure, habité d'une flamme ardente.

– Chefs gaulois, aimez-vous la liberté ?

– Oui ! hurlèrent les chefs.

– Alors, pourquoi acceptez-vous la présence des Romains ?

un affront : une insulte

habité : animé

Les chefs se turent. Vercingétorix poursuivit :
– Ils sont venus à notre secours contre les Helvètes et les Germains. Puis ils ont vaincu les Belges et les Bretons, des Celtes comme nous. Maintenant que l'hiver est revenu, les légions de César sont-elles reparties se mettre au repos dans leur province du sud ? Non ! Elles attendent le printemps tout près d'ici, chez les Parisii. Croyez-vous vraiment qu'un jour les Romains quitteront la Gaule ?

Gênés, certains chefs firent semblant d'être très occupés à servir leurs voisins, de vin ou de viande.

leur province du sud :
la province narbonnaise a été la première conquise par les Romains

les Parisii :
peuple gaulois habitant l'Île-de-France actuelle

– Jamais ils ne repartiront ! s'écria Vercingétorix. Car César considère la Gaule comme un pays conquis !

– Mais que pouvons-nous faire ?

– L'arrêter !

– C'est impossible ! César est trop puissant !

– Nous sommes beaucoup plus nombreux que les soldats romains. Nous pouvons vaincre César. Mais pour cela, tous les peuples gaulois doivent s'unir contre lui !

enflammé :
excité

Enflammé par ce discours, l'un des chefs se leva :

– Dès mon retour, mon peuple se débarrassera de tous les Romains qui se trouvent sur notre territoire !

une clameur :
l'ensemble des cris tumultueux d'une foule

un soulèvement :
une révolte

Des clameurs s'élevèrent. D'autres chefs promirent de participer au soulèvement.

Le lendemain, des commerçants romains furent massacrés dans plusieurs régions. Au sommet de chaque colline, par la seule puissance de leur voix, des bergers transmettaient les nouvelles à toute la Gaule.

Pour Vercingétorix, il était temps de retourner au pays de ses ancêtres.

Comment le jeune guerrier pourrait-il prendre la tête de la révolte, si son propre peuple n'y participait pas ?

Quelques jours plus tard, à Gergovie, devant l'assemblée des chevaliers arvernes, Vercingétorix tint un discours plein de passion, qu'il termina ainsi :

– Notre pays est l'un des plus riches de la Gaule. Sans les Arvernes, les Gaulois n'ont aucune chance de chasser Jules César ! Nous devons participer au soulèvement général des peuples gaulois !

Mais son oncle Gobannitio s'opposa à lui avec tant de violence qu'une fois encore Vercingétorix n'eut d'autre choix que de fuir Gergovie en toute hâte sur son cheval !

137

Une stratégie incroyable

Puisque les chevaliers arvernes ne voulaient pas de lui, Vercingétorix décida de créer sa propre armée. Convaincus qu'il défendrait leur propre pouvoir, les druides lui avaient donné une partie de leur trésor.

Dans les campagnes arvernes, Vercingétorix embaucha donc un grand nombre de brigands, de réfugiés, de miséreux et de jeunes gens tentés par l'aventure. Se souvenant des légions romaines, il leur imposa une discipline de fer.

une discipline de fer :
une obéissance très rigoureuse

Puis, à la tête de ses troupes, il chassa Gobannitio de Gergovie et se proclama roi des Arvernes !

Pendant ce temps, tandis que les légions de César passaient l'hiver dans le nord de la Gaule, celui-ci se trouvait à Rome. Il ne voulait pas s'absenter de la capitale, car un autre général, Pompée, menaçait d'accaparer le pouvoir à la tête de la République.

Pompée :
général romain fait consul unique par le sénat en 53 av. J.-C.

Mais le soulèvement de plusieurs peuples gaulois importants ne laissait pas le choix à César. Si les Gaulois réussissaient à chasser les Romains, ses années de présence en Gaule deviendraient inutiles, tandis que Pompée, lui, pouvait se vanter d'avoir pacifié l'Espagne !

Dès qu'il eut connaissance de ces derniers événements, César se précipita en Gaule à la tête de renforts. L'hiver était, cette année-là, particulièrement rude. Il traversa les Alpes puis les Cévennes malgré deux mètres de neige en haut des cols ! Il avait deux objectifs : effectuer la jonction avec ses légions, restées au nord de la Loire, puis attaquer le roi des Arvernes, maintenant au cœur de la révolte.

Le premier objectif fut déjà difficile à atteindre : les Gaulois avaient brûlé les ponts sur la Loire. Quant au second, il semblait inaccessible : Vercingétorix semblait jouer avec lui à un cache-cache meurtrier à travers la Gaule, attaquant seulement les peuples alliés des Romains. Le chef gaulois, qui connaissait de l'intérieur l'armée romaine, savait que celle-ci était trop nombreuse et trop bien

des renforts :
de nouvelles troupes

rude :
froid

inaccessible :
que l'on ne peut pas atteindre

organisée pour pouvoir l'affronter dans une bataille générale. Ses troupes n'auraient eu aucune chance.

Au début de l'année -52, devant les chefs et les chevaliers gaulois, Vercingétorix exposa une stratégie complètement nouvelle :

– Pour combattre, les Romains ont besoin d'approvisionnement et de fourrage pour leurs chevaux. Nous allons donc tout incendier autour d'eux, les campagnes et les villes !

Les autres chefs furent horrifiés :

– Nos propres peuples vont souffrir ! s'écria l'un d'eux.

– Préfères-tu que ta femme et tes enfants soient tués ou emmenés en esclavage par les Romains ? rétorqua Vercingétorix.

Le chef des Bituriges se jeta à ses pieds.

– Épargne au moins Avaricum, la plus belle ville de Gaule ! Elle est cernée de murailles, mais aussi entourée d'un fleuve et de marais infranchissables. Nous la défendrons facilement.

Vercingétorix réfléchit. Si, malgré la

une stratégie :
l'organisation de l'ensemble des opérations militaires

du fourrage :
herbe séchée dont on nourrit les animaux

rétorquer :
répondre en s'opposant

les Bituriges :
peuple gaulois habitant l'Aquitaine et le Berry actuels

Avaricum :
ville romaine située à l'emplacement de l'actuelle ville de Bourges

difficulté, les Romains décidaient de faire le siège d'Avaricum, il les harcèlerait de l'extérieur avec son armée. Jules César serait pris entre deux feux !

harceler : fatiguer par de fréquentes attaques

D'un siège à l'autre

Hélas, Vercingétorix ignorait qu'à cause de son rival Pompée Jules César ne pouvait renoncer à vaincre la Gaule. Et puisque la stratégie de la terre brûlée privait ses légions de vivres, le général romain devait à tout prix conquérir la ville d'Avaricum, dotée de réserves abondantes.

Le seul chemin d'accès à la ville était défendu par une muraille, qui mêlait terre, pierres et bois, à la manière gauloise. Elle résista aux incendies comme aux coups de bélier. Jules César demanda alors à ses troupes de construire une rampe gigantesque qui permettrait d'accéder directement au sommet !

Pendant ce siège interminable, les Romains souffrirent beaucoup. Non seulement ils manquaient de nourriture, mais l'hiver se prolongeait. Et tandis que l'armée de Vercingétorix les harcelait d'attaques ciblées, les habitants d'Avaricum réussirent à incendier la rampe et à retarder sa construction.

Les soldats de César firent preuve d'une **ténacité : le fait de ne pas renoncer** ténacité terrible. Chez les Gaulois, au contraire, les chefs ne cessaient de contester l'autorité de Vercingétorix.

Finalement, en avril -52, les Romains terminèrent leur rampe et prirent possession de la ville. Excédés par tout ce qu'ils avaient dû endurer, ils furent sans pitié et massacrèrent tous ses habitants.

La guerre venait de prendre une autre tournure, plus cruelle. Lors de l'assemblée des chefs gaulois, nombreux furent les chevaliers qui se rallièrent à Vercingétorix. Ils avaient compris que César voulait faire de la Gaule une province romaine, administrée directement par les Romains.

La prise d'Avaricum avait fourni à Jules

César toutes les provisions dont il avait besoin. La politique de la terre brûlée était devenue inutile. Quelle autre stratégie adopter ?

Le harcèlement était efficace mais difficile à pratiquer quand les légions se déplaçaient. Vercingétorix eut une nouvelle idée :

– Immobilisons les Romains dans un nouveau siège. Mais cette fois, choisissons une citadelle vraiment imprenable !

une citadelle :
une forteresse

Il en connaissait une, construite au sommet de pentes d'une raideur impressionnante. Impossible de construire une rampe d'accès assez haute pour atteindre ses murailles ! Cette ville, c'était la sienne : Gergovie.

Dans les semaines qui suivirent, les combattants gaulois lancèrent un grand nombre de petites attaques rapides contre l'armée romaine. Excédé, Jules César les poursuivit jusqu'à Gergovie, où les Gaulois s'enfermèrent, avec Vercingétorix à leur tête.

Espérant en finir avec lui, César organisa un nouveau siège au pied de la forteresse.

Gergovie avait un point faible : une colline proche et aussi haute que la forteresse. César comprit qu'il serait possible de construire un pont entre les deux. Pour cela, il fallait occuper la colline et en faire un lieu sûr.

L'une des légions fut envoyée sur la colline pour s'y installer. Mais des guerriers gaulois surgirent de partout ! Ils s'étaient cachés là sur l'ordre de Vercingétorix qui avait deviné le raisonnement du général !
Les pertes romaines furent énormes. César décida d'abandonner le siège de Gergovie.

surgir : apparaître brusquement

un siège : une opération militaire destinée à prendre une ville

l'ivresse : l'exaltation

L'ivresse de la victoire

C'était la première fois que des Gaulois tenaient en échec l'armée romaine !
Vercingétorix acquit un immense prestige !
Et de nouveaux peuples se rallièrent à lui, dont les Éduens.
Or, c'est aux Éduens, leurs alliés les plus fidèles, que les légions romaines avaient confié le trésor de sept années de combats en Gaule, en Belgique et en Bretagne. César et chacun de ses soldats furent furieux d'apprendre qu'ils avaient perdu leur part, petite ou grande, du butin.
Côté gaulois, dans l'ivresse de la victoire, les chevaliers acceptèrent enfin ce qui était

le prestige : grande influence

un butin : l'ensemble des objets de valeur pris à l'ennemi après une victoire

contraire à leurs habitudes : un commandement unique ! Vercingétorix fut nommé « imperator », c'est-à-dire chef militaire de tous les Gaulois. Il expliqua son nouveau plan :

– Certains d'entre nous vont attaquer la Gaule narbonnaise. César volera à son secours, en empruntant la vallée du Rhône. Le reste de notre armée se postera sur les collines qui entourent la vallée et multipliera les attaques contre ses légions affaiblies.

Enivrés par leur victoire, les chevaliers gaulois passèrent bientôt à l'action Les premières attaques gauloises firent tant de dégâts parmi les Romains que César lui-même y perdit son épée !

Mais lors d'une nouvelle attaque , en juillet, une surprise de taille attendait les assaillants : des hordes de cavaliers germains ! César venait de les recruter. Féroces et efficaces, ils provoquèrent la débandade gauloise.

Poursuivis par les Germains, les Gaulois repérèrent un bon refuge où reconstituer leurs forces : Alésia. Citadelle aussi escarpée que Gergovie, elle possédait de nombreuses sources. Elle était également la plus sacrée des villes gauloises puisque, selon la légende, y était né Galatès, le père de tous les Gaulois ! Vercingétorix ne voulait pas que les combattants gaulois s'installent à Alésia. Hélas ! Le temps qu'il convainque les chefs gaulois, Jules César avait compris l'opportunité qui s'offrait à lui. Il précipita son armée au pied de la citadelle. À coups de pioche, de pelle et de hache, il lança ses soldats dans des travaux gigantesques…

une horde :
une bande de soldats indisciplinés et féroces

une débandade :
une fuite désordonnée

escarpé :
en pente raide, difficile d'accès

une opportunité :
une occasion favorable

Le piège

En quelques semaines, les Romains enfermèrent Alésia. Ils construisirent huit camps retranchés, vingt-trois fortins et des milliers de « pièges à hommes », sortes de trous camouflés par des branchages au fond desquels se dressaient des pieux effilés.

un fortin :
un petit ouvrage fortifié

camouflé :
habilement caché

effilé :
allongé et pointu

Dès le début du siège, par une nuit sans lune, tous les chevaliers, s'échappèrent d'Alésia. Ils avaient pour mission d'appeler à une levée en masse des Gaulois, afin de prendre à revers les Romains et de les écraser sous leur nombre !

à revers : par-derrière

Pour convaincre les chefs de chaque peuple, l'éloquence de Vercingétorix aurait été très utile. Mais sa présence à l'intérieur d'Alésia était tout aussi indispensable afin d'encourager les Gaulois à sauver leur « imperator ».

L'été s'écoulait lentement, sans combat. Le mois d'août étirait ses longues journées orageuses. Chez les Gaulois, les vivres s'amenuisaient. Vercingétorix fit sortir d'Alésia les femmes et les enfants. Il espérait les sauver quitte à ce que les Romains les fassent prisonniers ou les vendent comme esclaves.

les vivres : la nourriture

Mais César comptait aussi ses réserves de nourriture. Il refusa d'ouvrir ses camps aux réfugiés gaulois. Errant entre les fortifications romaines et gauloises, les malheureux périrent les uns après les autres.

En septembre, l'attente angoissée durait toujours. Où était l'armée de secours ? s'interrogeaient les assiégés. Les peuples gaulois étaient-ils restés sourds à leur appel ?

Le 20 septembre, dans la brume du petit matin, les crêtes qui entouraient Alésia se couvrirent soudain d'une véritable marée humaine ! Pour la première fois, les Gaulois étaient plus nombreux que les Romains ! L'angoisse se trouvait maintenant du côté romain. Les légions de César attendaient l'assaut, l'arme au poing, dans un silence pesant.

L'armée de secours avait été retardée par de grandes discussions. Qui commanderait à qui ? Combien de combattants chacun des peuples gaulois devait-il fournir ? Et...

Incroyable ! Les Gaulois discutaient encore, pour savoir qui devait commander l'attaque ! Finalement, face aux légions disciplinées de César, ils choisirent un commandement peu efficace : un quatuor de chefs, surveillé par une assemblée de délégués représentant chaque peuple gaulois...

un quatuor : ensemble de quatre personnes

Trois terribles assauts

Le quatuor de chefs prit une première décision : envoyer seuls les chevaliers au combat ! S'ils réussissaient à traverser les lignes romaines, ils pourraient effectuer une jonction avec les assiégés.

Hélas, ils se heurtèrent aux cavaliers germains et perdirent cette première bataille.

Dans la nuit suivante, une terrible clameur guerrière jaillit des crêtes. Selon leur habitude, les Gaulois cherchaient à impressionner leurs ennemis avant le combat. Ils martelaient leurs boucliers avec leurs armes, criaient ou soufflaient dans leurs longues trompettes de guerre…

Dans l'obscurité, les Romains lancèrent leurs balles de fronde, dévastatrices. Les Gaulois ripostèrent avec leurs flèches. Puis ce fut l'assaut ! Accroupis derrière leurs boucliers, les romains résistèrent bien aux premières vagues.

une fronde :
une arme servant à
lancer des pierres

Mais les Gaulois étaient nombreux et ils ne craignaient pas la mort. Malgré la nuit, certains réussissaient à échapper aux pièges à hommes, aux balles de fronde et aux lances romaines. Ils attaquèrent les soldats romains dans des corps à corps furieux.

une diversion :
une opération
destinée à détourner
l'attention
de l'ennemi

De leur côté, les assiégés tentèrent une diversion. Mais, épuisés par le manque de nourriture, ils ne furent pas très efficaces.

Malgré tous leurs efforts, les Gaulois n'avaient pas avancé bien loin à l'intérieur des lignes romaines. Et leurs pertes étaient déjà très nombreuses. Ils décidèrent donc de se replier.

Quelques jours plus tard, un troisième assaut fut lancé par les Gaulois. Cette fois à midi, pour mieux repérer les pièges romains.

C'était maintenant ou jamais ! Tout le monde se battait avec l'énergie du désespoir. César, Vercingétorix et tous les chefs étaient en première ligne.

Manœuvrant avec discipline, les légions romaines prenaient des groupes de Gaulois à revers, ou les séparaient les uns des autres pour mieux les anéantir.

Les chefs de l'armée de secours s'aperçurent que leur nombre ne suffirait pas pour vaincre les Romains. Découragés, ils abandonnèrent le combat sans prévenir, les uns après les autres. Les assiégés furent obligés de rebrousser chemin vers Alésia.

rebrousser chemin : faire demi-tour

Le 26 septembre au matin, découvrant les crêtes désertes, Vercingétorix réunit les derniers combattants. Il parla avec dignité :
– Ce n'est pas par ambition personnelle que j'ai pris la tête de la révolte contre les Romains. C'est pour défendre la liberté de tous ! Livrez-moi à César ! Peut-être fera-t-il preuve de clémence à votre égard.

la clémence : le fait d'adoucir un châtiment

Un messager rapporta les conditions de César : il voulait qu'on lui livre les armes et les chefs.

un consul :
chacun des deux
magistrats qui
avait le pouvoir
à Rome

Assis sur son siège de consul, en haut d'une estrade, César attendait. Entre deux haies de légionnaires en armes, les chefs gaulois sortirent à pied d'Alésia, jetant leurs armes dans un fossé.

Certains furent mis de côté, destinés à être vendus comme esclaves. D'autres furent libérés et incités à intégrer les légions romaines. César pensait aux combats futurs qu'il allait devoir mener contre Pompée.

incité :
encouragé

Puis vint Vercingétorix, tête haute. À son tour, il livra ses armes. Pouvait-il espérer lui aussi la clémence du général ?

158

Mais César avait failli être vaincu ; il fut sans pitié !

En -46, après six années passées dans une prison sinistre, Vercingétorix fut présenté au « triomphe » de son ennemi, une fête de plusieurs jours à la gloire de César. L'année suivante, il fut exécuté sur l'ordre de César. Pendant ce temps, devenue une province romaine, la Gaule adoptait le mode de vie de ses conquérants. Rome lui apportait quelque chose de très précieux, que les Gaulois n'avaient pas su construire ensemble : la paix. Celle-ci dura plus de deux siècles.

sinistre :
d'une tristesse effrayante

un triomphe :
cérémonie rendant hommage à un général après d'importants succès militaires

Table

Imprimé en Italie chez ROTOLITO
Dépôt légal : mai 2008
Collection n° 73 – Édition n° 02
11/7343/4

Le biblio bus

Une collection de littérature pour l'école élémentaire.

Pour le CE2

1

Le biblio bus
CE2 cycle 3
4 œuvres complètes

- Comment le chameau acquit sa bosse
  de Rudyard Kipling
- Le manteau du Père Noël
  d'Olivier Ka
- Un fabuleux chapeau
  de Michèle Cornec-Utudji
- Cendrillon
  de Charles Perrault

HACHETTE Éducation

3

Le biblio bus
CE2 cycle 3
4 œuvres complètes

- La Baba Yaga
  Conte populaire russe
- Les lézards de César
  d'Olivier de Vleeschouwer
- Sindbad le marin
  Conte populaire oriental
- Farces THÉÂTRE pour écoliers (2)
  de Pierre Gripari

HACHETTE Éducation

6

Le biblio bus
CE2 cycle 3
4 œuvres complètes

- Les Six serviteurs
  de Grimm
- La petite fille aux allumettes
  d'Andersen
- Bull Mastik : le loup-garou de la dent du loup
  de Florence Desnouveaux
- Théâtre

HACHETTE Éducation

8

Le biblio bus
CE2 cycle 3
4 œuvres complètes

- Le Joueur de flûte de Hamelin
  Conte populaire allemand
- La Chèvre de M. Seguin
  d'Alphonse Daudet
- Le Meilleur Papa du monde
  de Marc Cantin
- Le Style THÉÂTRE enfantin
  de Jean Tardieu

HACHETTE Éducation

10

Le biblio bus
CE2 cycle 3
4 œuvres complètes

- Les Fées
  de Charles Perrault
- Le Petit THÉÂTRE Malade
  de Georges Courteline
- Une affaire de lunettes
  de Catherine Ternaux
- Jojo et Paco jouent la samba
  d'Isabelle Wlodarczyk B.D.

HACHETTE Éducation

15

Le biblio bus
CE2 cycle 3
4 œuvres complètes

- Ali-Baba et les 40 voleurs
  Conte populaire oriental
- Gloups chez les cannibales
  de Paul Thiès
- Octave B.D. et le cachalot
  de David Chauvel et Alfred
- Plumette une poule super chouette
  d'Anne-Marie Desplat-Duc

HACHETTE Éducation

16

Le biblio bus
CE2 cycle 3
4 œuvres complètes

- La fin de l'effroyable crocodile
  Conte populaire africain
- Fables B.D.
  de Jean de la Fontaine
- Le petit poisson d'or
  Conte populaire russe
- Petit Féroce n'a peur de rien
  de Paul Thiès

HACHETTE Éducation

21

Le biblio bus
CE2 cycle 3
Historique

L'ANTIQUITÉ

La fondation de Rome

Un urbain chez le sénateur

Le grand amour de Manissa

Vercingétorix

Sophie Marvaud

HACHETTE Éducation

26

Le biblio bus
CE2 cycle 3
Historique

La préhistoire

- L'enfant-léopard
  Légende
- Les deux frères et le feu
  Aventure
- La disparition du boiteux
  Roman policier
- Le village de Doina
  Récit
  de Laurence Schaack

HACHETTE Éducation

Le bibliobus

L'ANTIQUITÉ

Le bibliobus Hachette :
des recueils illustrés d'œuvres intégrales, pour bâtir une culture littéraire au cycle 3.

Légende :
La fondation de Rome
de Sophie Marvaud

Deux nouveaux-nés tétant une louve au pied d'un figuier ! C'est le spectacle prodigieux qu'un berger de l'antique Italie découvre il y a 2 700 ans. Il ne se doute pas, lorsqu'il les prend dans ses bras pour les amener à sa femme, qu'il participe à un projet grandiose organisé par les dieux de l'Olympe. Il n'est que l'instrument d'une histoire à nulle autre pareille.

Roman policier :
Un voleur chez le sénateur
de Sophie Marvaud

L'artisan gaulois Onnogenos et sa f Galatéa parcourent les routes de la Ga romaine pour vendre leurs poteries. C' l'occasion pour eux d'aller à la rencontre Romains, avec leur art de vivre si particulier, de découvrir leurs magnifiques villas. La v du sénateur Probus va pouvoir satisfaire le curiosité, mais être aussi le théâtre d'u énigme étonnante...

Aventure :
Le grand amour de Maximus
de Sophie Marvaud

Maximus Flavius Onnogenos est un jeune homme à qui la vie sourit. Il sillonne les mers pour vendre les belles céramiques fabriquées dans l'atelier familial à travers tout l'Empire romain. Il est un citoyen romain libre. Pourtant, sa rencontre avec une jeune esclave originaire de la lointaine Asie Mineure va changer sa vie et lui faire découvrir un monde bien différent du sien.

Récit :
Vercingétorix
de Sophie Marvaud

Mais qui est donc ce jeune Arverne, fils Celtillos, qui réussit à unir les différer peuples gaulois pour se dresser con l'invasion du grand César et de ses terrib légions ? C'est Vercingétorix, jeune hom audacieux, qui veut libérer la Gaule du jo romain. Gergovie sera son triomphe, Alésia défaite, mais entre les deux une gran aventure humaine et historique !

Le cahier d'activités Le bibliobus CE2 **21** (code 11.7364.0) propose, à partir des œuvres du recueil, des parcours de lecture permettant de lire et comprendre, lire et dire, lire et écrire.

Pour le maître, des pistes d'exploitatio des compléments pédagogiques s téléchargeables gratuitement sur le site Inte
www.hachette-education.com

Prix
6,90 €
TTC

11.7343.4
ISBN : 978-2-01-117343-0

9 782011 173430

HACHETTE
Éducation
www.hachette-education.com

Compléments pédagogiques
Téléchargement
GRATUIT

DANG
LE
PHOTOCOPI
TUE LE LI